REENCARNAÇÃO
É Possível Provar

Gerson Simões Monteiro

REENCARNAÇÃO
É Possível Provar

FATOS COMPROVADOS PELA CIÊNCIA

AS PROVAS DA REENCARNAÇÃO NA BÍBLIA

SEM A REENCARNAÇÃO É IMPOSSIVEL
ENTENDER A JUSTIÇA DIVINA

4ª edição

REENCARNAÇÃO – É POSSÍVEL PROVAR

Editor: *Cláudio Luiz Brandão José*
Assistente editorial: *Kátia Biaia*
Capa, projeto gráfico e diagramação: *Rogério Mota*
Revisão: *Luciana Peres*
4ª edição: *2014*
Impresso no Brasil *Printed in Brazil*

Rua Divisória, 10 – sala 307 – Bento Ribeiro
CEP 21331-250 – Rio de Janeiro – RJ
Tel.: 21 3017-2333 e 2146-0514
www.novosereditora.com.br

DADOS INTERNACIONAIS PARA CATALOGAÇÃO NA PUBLICAÇÃO (CIP)

M776r

Monteiro, Gerson Simões, 1936-
Reencarnação – É possível provar : fatos comprovados pela ciência, as provas da reencarnação na Bíblia : sem a reencarnação é impossível entender a justiça divina / Gerson Simões Monteiro. — 4. ed. — Rio de Janeiro : Novo Ser, 2014.

153p. ; 21cm.

ISBN 978-85-63964-10-6

1. Reencarnação. 2. Vida após a morte. 3. Espiritismo. I. Título.

CDD- 133.9013

JOSÉ CARLOS DOS SANTOS MACEDO – BIBLIOTECÁRIO CRB7 N.3575

Pouco a pouco, levanta-se o véu; o homem começa a entrever a grandiosa evolução da vida na superfície dos mundos. Vê a correlação das forças e a adaptação das formas e dos órgãos em todos os meios. Sabe que a vida se desenvolve, se transforma e se depura à medida que ela percorre sua espiral imensa. Compreende que tudo está regulado em vista de um objetivo, que é o aperfeiçoamento contínuo do ser e o crescimento nele da soma do bem e do belo.

Léon Denis
O grande enigma, cap. I

SUMÁRIO

APRESENTAÇÃO

A reencarnação não é uma invenção do Espiritismo, pois, como toda lei natural à qual estão submetidos os espíritos criados por Deus, ela foi percebida pelo homem desde suas mais antigas civilizações.

No Ocidente, pode ser novidade a ideia da pluralidade das existências, mas no Oriente não. A prova disso está no texto encontrado pelo pesquisador da história do Egito, Picone-Chiodo, escrito cerca de três mil anos antes de Cristo, que dizia:

> "Antes de nascer a criança viveu, e a morte não é o fim. A vida é um evento que passa como o dia solar que renasce".[1]

---

[1] Disponível em: http://www.espirito.org.br/portal/artigos/diversos/reencarne/reencarnar-eh-natural.htm

Entre os hindus, o princípio da reencarnação era ensinado 1.300 anos a.C. pela filosofia dos Vedas, com o nome de metempsicose. Na Grécia antiga, a tese reencarnacionista (palingenesia) teve largo curso, relatando-se, inclusive, que Pitágoras se recordou de várias de suas existências anteriores, incluindo o fato de ele reconhecer um escudo que dizia ter usado na guerra de Troia, quando seu nome era Euforbus. Entre os judeus, a crença na reencarnação era geral. Textos do Velho Testamento e do Evangelho de Jesus aludem à reencarnação com o nome de ressurreição.

Sob o aspecto moral, como explicar os mecanismos da Justiça Divina sem a reencarnação, ante tão gritantes diferenças sociais, físicas e intelectuais facilmente perceptíveis entre as criaturas, filhas do mesmo Pai Celestial? Eis por que aqueles que hoje levam a miséria a muitos dos seus irmãos em humanidade voltarão à Terra em condições de extrema pobreza. Aqueles que tiraram a vida de seus semelhantes reencarnarão amanhã, exibindo as chagas da hanseníase ou experimentando as dores do câncer. É o funcionamento da lei de causa e efeito, ou melhor, é a aplicação do "a cada um será dado segundo as suas próprias obras".[2]

Se eu não tivesse certeza da reencarnação, confesso que jamais poderia compreender a Justiça de Deus. No mínimo teria perdido a razão, pelo fato de terem desencarnado dois filhos, com cerca de dois anos de idade; um neto com 8 anos; outra filha com 40 e a minha esposa, todos com câncer de alta malignidade, e ainda, outra neta de câncer linfático aos 27 anos. Convenhamos, o que teriam feito meus familiares nesta vida, especialmente meus filhos pequeninos e o neto, se Jesus afirmou que "a cada um seria dado segundo as suas obras"? Afinal de contas, que fizeram eles nesta vida de tão errado para sofrerem tanto, se Deus é justo e Pai de amor e bondade?

Enfim, com a reencarnação temos a certeza de que depois da morte continuaremos a viver, e retornaremos a um novo corpo físico tantas vezes sejam necessárias, até que, pelos degraus abençoados da evolução, atinjamos a perfeição espiritual.

---

[2] Disponível em: http://www.espirito.org.br/portal/artigos/benedito/novo-consolador.html

Diante de todas essas evidências é que o Codificador do Espiritismo, Allan Kardec, enunciou a máxima: “nascer, morrer, renascer ainda, progredir sempre, esta é a lei”.[3]

[3] Disponível em: http://www.espirito.org.br/portal/artigos/geae/origem-da-frase.html

AS PROVAS CIENTÍFICAS DA REENCARNAÇÃO

A reencarnação, segundo a Doutrina Espírita codificada por Allan Kardec, é a volta do espírito a um novo corpo de carne que nada tem a ver com o anterior. Isso é, a alma, que não se depurou em uma vida corpórea, recebe a prova de uma nova existência, durante a qual dá mais um passo na senda do progresso. É por essa razão que passamos por muitas existências.

Se somos seres imortais, tendentes à perfeição, certamente os poucos anos de uma vida física são insuficientes para a aquisição das experiências necessárias ao nosso aperfeiçoamento. Senão, ficaria sem

Allan Kardec – Codificador da Doutrina Espírita

sentido a afirmativa de Jesus: "Sede perfeitos como perfeito é o vosso Pai Celestial."[4]

Não é somente na Terra que reencarnamos; podemos viver em mundos diferentes. As reencarnações que passamos aqui não são as primeiras nem as últimas; são, porém, as mais materiais e bem distantes da perfeição. A alma tem a possibilidade de viver muitas vezes no mesmo globo e só pode passar a reencarnar em mundos superiores quando haja alcançado condição suficiente para tal.

LEMBRANÇAS DE VIDAS ANTERIORES

Todavia, a reencarnação, antes de ser mera questão doutrinária, assenta seu fundamento na palavra de Jesus e na própria Bíblia, sem falar na comprovação do fenômeno reencarnatório pela pesquisa científica, hoje de amplo domínio público.

O parapsicólogo indiano Hamendra Banerjee pesquisou mais de 1.200 casos de pessoas que tinham nítidas lembranças do que foram em vidas anteriores, ou seja, desde o local onde tinham vivido

---

[4] Disponível em: http://www.espirito.org.br/portal/codificacao/es/es-17.html

no passado até nomes de parentes, passando pelos próprios nomes, apelidos e fatos acontecidos com elas. Esses dados foram devidamente checados por Banerjee comprovando a reencarnação, embora tenha ele admitido que é possível alguém se recordar de outras vidas através de uma memória extracerebral. No entanto, para nós, espíritas, essa memória, que sobrevive à morte do corpo físico e volta a existir em outra roupagem carnal, chama-se espírito reencarnado.

Um fato observado pelo professor Banerjee, na época diretor de pesquisas do Instituto Indiano de Parapsicologia, trata da reencarnação em sexos

Hamendra Banerjee

opostos. Gnana, com três anos de idade, afirmava ter sido o menino Tiillekeratne, que morrera aos 11 anos. Quando levada à casa em que morara na outra vida, a menina ficou muito contente ao reconhecer a irmã e manifestou aversão ao irmão com quem brigara pouco antes de morrer. Outro caso pesquisado foi o de Nejati, que dizia ser Nagib Budak. O morto e o reencarnado moravam à distância de 75 quilômetros. Najib fora assassinado com uma punhalada. O menino Nejati nasceu com a marca do ferimento da punhalada recebida na outra encarnação. Ele também reconheceu casas e parentes da vida anterior.

Outro caso, também muito interessante, pesquisado por Barnejee foi o das gêmeas Pollock. Aconteceu na Inglaterra, numa família católica. Na vida anterior, as meninas Gillian e Jennifer chamavam-se Joana e Jacqueline. Elas voltaram a nascer na mesma família. Os pais dizem que até os gostos correspondem. Jennifer, entre outras provas, tem marca de nascença de ferimentos que tivera na outra encarnação.

Os relatórios de cada um desses casos chegam a constituir-se em brochuras e dezenas de páginas, com depoimentos e experiências as mais diversas. Para esse estudioso da misteriosa Índia, a reencarnação é uma certeza. — O estabelecimento da realidade na reencarnação trará uma nova revolução copérnica ao mundo. Mais do que isso, Banerjee acredita que o reconhecimento, por todos, da reencarnação curará as moléstias sociais do mundo, porque dará uma visão mais espiritual da vida.

No Brasil, o Delegado João Alberto Fiorini pesquisou uma jovem que se recordava de ter sido a poetisa portuguesa Eugênia Infante da Câmara, ligada à vida amorosa de Castro Alves. Um dos fatos que serviram de prova reencarnatória foi a referência feita pelo poeta à mancha que Eugênia tinha no seio esquerdo, igualmente a que apresentava, no mesmo local, a jovem brasileira.

Eugênia Infante da Câmara

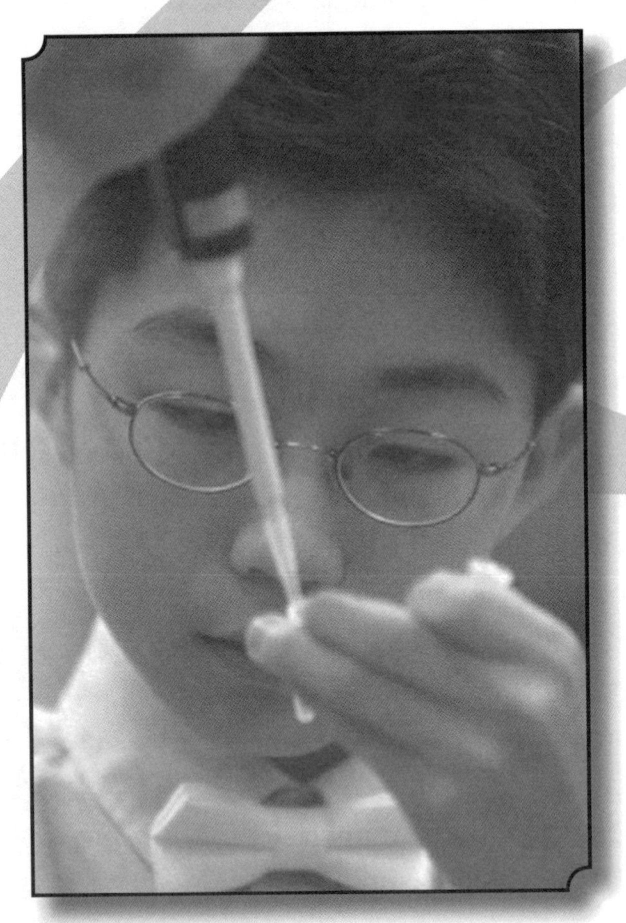

Sho Yano

2 AS CRIANÇAS SUPERDOTADAS

Como explicar, sem a reencarnação, o caso do pequeno Sho Yano, de nove anos? Apesar da pouca idade, ele já sabe o que pretende ser quando crescer: médico. A diferença é que, ao contrário das outras crianças, ele não terá de esperar muito por isso. O garoto franzino, de 1,31 metros, acaba de entrar na Universidade de Loyola, em Chicago, Estados Unidos, onde estudará Medicina. Daqui a quatro anos será doutor. Descendente de japoneses e coreanos, Yano é um gênio, e daqueles brilhantes. Tanto que seu coeficiente intelectual (QI) supera o índice máximo de 200 pontos. Graças à sua genialidade, ele se tornou o mais jovem universitário dos Estados Unidos.

Matthew Marcus, de doze anos de idade, residente em White Piains, subúrbio de Nova Iorque, é o mais jovem estudante deste século do *college* norte-americano. Autodidata em Matemática, Química e Física, em dois anos completou os seis anos da *high school*.

Por conselho dos professores, os pais de Matthew decidiram matriculá-lo numa escola superior. Hoje, seus colegas de classe são rapazes e moças de mais de 18 anos. Comporta-se normalmente como um menino da sua idade, diferenciando-se apenas quando penetra na intimidade dos livros de Cálculos Avançados, Mecânica, Física, Química, etc.

Em virtude do crescente número de crianças com grau de inteligência superior à média comum, tem-se desenvolvido muito a pesquisa em torno das prováveis origens desse fenômeno. Sobre o assunto, existem duas teses mediante as quais a ciência acadêmica tem procurado explicar a existência de *superdotados.*

A primeira delas é a da *hereditariedade genética*, isto é: pais superinteligentes gerariam filhos superinteligentes. A segunda tese atribui o fenômeno ao que chama de *hipoxemia cerebral*: crianças nascidas de partos difíceis teriam, em decorrência disso, as células cerebrais estimuladas, e disso decorreria um quociente de inteligência superior.

Ambas têm cunho materialista e nenhuma se aprofunda na questão. Nenhuma tem a coragem de examinar o problema à luz de uma filosofia que considere o homem como algo transcendente à matéria. Só a teoria reencarnacionista pode abrir à Ciência caminhos mais seguros para uma investigação eficiente acerca desse e de outros fenômenos da mesma natureza. Em sua milenar sabedoria, Sócrates afirmava que "aprender é recordar".

Léon Denis, abonando a tese espírita de que a inteligência é atributo do espírito e não da matéria, lembra gênios que foram pais de néscios, como Marco Aurélio que gerou Cômodo. Todos nós conhecemos filhos de excepcional inteligência, tendo por pais pessoas absolutamente comuns, ou vice-versa. E nem todos os casos decorrem de partos difíceis.

Akrit Jaswal

3

CIRURGIÃO AOS SETE ANOS DE IDADE

Mais uma criança superdotada surge no cenário científico para transformar o mundo, como previu Allan Kardec, falando a respeito da Nova Geração que surgirá neste período, em que a Terra passa de mundo de Expiação e Provas para Mundo de Regeneração, como publicado no livro **A gênese**. O superdotado é Akrit Jaswal que começou a falar aos 10 meses e, aos 2 anos de idade, começou a escrever e a ler apenas olhando as páginas dos livros.

Aos cinco, começou a ler livros de poesia e peças de Shakespeare. Depois disso, desenvolveu uma paixão precoce por livros de medicina, anatomia e cirurgia. Akrit solicitou e obteve uma autorização especial para acompanhar e assistir cirurgias feitas no Hospital de Himachal

Pradesh, na Índia. Akrit, aos seis anos, fazia discursos complexos sobre medicina, biologia e cirurgia, e debatia com médicos qualquer tipo de tema ligado à ciência médica.

Aos sete, tornou-se o cirurgião mais jovem do mundo, quando a família de uma menina da sua aldeia solicitou a sua ajuda para realizar uma cirurgia. A menina de oito anos havia sofrido um acidente e queimado os dedos, que acabaram colando uns aos outros. Akrit apiedou-se da menina realizando uma cirurgia bem-sucedida. Veja a filmagem da cirurgia no vídeo que está disponível na internet em: http://www.youtube.com/results?search_type= & search_query=akrit+jaswal&aq=f.

Diante disso, aos 11 anos, em 2004, foi convidado pelo governo da Índia para estudar na Universidade de Punjab. Hoje ele é estudante universitário em Zoologia e Botânica na Universidade de Harvard, nos Estados Unidos. O seu sonho é encontrar a cura definitiva para o tratamento do câncer, e tratar gratuitamente os milhares de doentes da Índia, segundo sua declaração no programa da apresentadora Oprah, um dos mais famosos da TV dos EUA.

Agora, como explicar a criança superdotada sem a reencarnação? O fato de Akrit aos sete anos realizar uma cirurgia bem-sucedida? É claro que seu espírito já tinha feito progresso na medicina em outras reencarnações. E é, portanto, natural que desde criança revele esse conhecimento anteriormente adquirido. O fato é teimoso, e contra fatos, não há argumentos!

Mozart

4

EXISTE EXPLICAÇÃO PARA A GENIALIDADE DE MOZART?

As comemorações do aniversário de 250 anos de nascimento, em 2001, de Wolfang Amadeus Mozart (1756-1791), um dos maiores gênios da música em todos os tempos, mobilizou os principais espaços culturais, orquestras e produtores no Rio de Janeiro. Ao todo, Mozart deixou mais de 600 partituras. Nascido em Salzburg, apresentou-se ainda criança, ao lado da irmã Nannerl, não só na corte de Viena, mas em diversos países da Europa. Pertenceu ao período clássico, porém suas obras já apresentavam nuanças românticas mais evidentes que as de seu professor Haydn. Se não tivesse morrido jovem, aos 35 anos, certamente disputaria com Beethoven o posto de ícone do Romantismo.

OUTRAS CRIANÇAS-PRODÍGIO

Na história da música vamos encontrar uma série de crianças-prodígio denominadas de superdotadas. Mozart, com quatro anos de idade, executou uma sonata. Sua faculdade musical desenvolveu-se tão rapidamente que, aos onze anos, compôs duas pequenas óperas. Além de Mozart, Gabriel Dellane, no livro **A reencarnação**, relaciona uma série delas:

Bethoven

Aquele a quem chamavam o deus da música, Beethoven, já se distinguia aos dez anos por seu notável talento de executante. E noutro gênero, a precocidade do grande violinista Paganini foi tal que, aos nove anos, já o aplaudiam num concerto, em Gênova.

Aos seis anos, Meyerbeer possuía bastante talento para dar concertos muito apreciados. Liszt, maravilhoso virtuose desde a mais tenra infância, escreve, aos quatorze anos, uma ópera em um ato, “D. Sancho” ou o “Castelo de Amor”. Rubstein, trazido da Rússia para Paris aos onze anos, excitou a admiração universal, pela beleza de seu toque de piano.

Sarasate, aos onze anos, mostrava já as qualidades de pureza de som e de estilo, que fizeram dele o maior violinista de nossa época. Saint-Saëns, virtuose precoce, aos onze anos dava seu primeiro concerto de piano, e tinha apenas dezesseis quando fez executar sua primeira sinfonia.

Dellane diz também que teve o prazer de ver, em um Congresso de Psicologia no ano de 1900, o jovem Pepito Ariola, que, aos três anos e meio de idade, tocava e improvisava árias variadas. O Professor Charles Richet publicou sobre esse caso um estudo, no qual narra o fato do jovem ter tocado, diante do rei e da rainha da Espanha, seis composições de sua invenção, sem conhecer as notas nem saber ler ou escrever.

Pepito Ariola

O PORQUÊ DA PRECOCIDADE

Sem a reencarnação, não há como explicar a precocidade musical de Mozart e de tantas outras crianças relacionadas por Gabriel Dellane, além de sábios, pintores, poetas e literatos. Desde criança, Pascal mostrou o gosto pelos estudos, especialmente pela Geometria. Aos treze anos, descobriu as 32 primeiras proposições de Euclides e publicou um trabalho sobre as seções cônicas.

Miguel Ângelo, na idade de oito anos, já conhecia suficientemente a técnica da pintura, tanto que seu mestre Ghirlandajo afirmou que nada mais havia a ensinar-lhe. Por sua vez, Victor Hugo apresentava, desde os treze anos, magnífica faculdade de versificação, como prova obteve o prêmio que em Tolosa; chamavam-no de "a criança sublime".

Sobre a origem desse fenômeno existe a tese da hereditariedade genética, de cunho eminentemente materialista. Nesse caso, os pais seriam responsáveis pela doação de genes capazes de possibilitarem o nascimento de crianças superdotadas. Essa teoria é insuficiente e cai por terra, por não responder o fato de pessoas que nasceram em meios pouco instruídos, como por exemplo: Descartes, Copérnico, Augusto Comte, Galvani, Spinoza e tantos outros, se distinguirem por suas brilhantes faculdades intelectuais.

Sobre o assunto, no entanto, a Doutrina Espírita, com base em sua filosofia espiritualista, prova com evidências irrecusáveis que a inteligência é independente do organismo, por ser um atributo do espírito, uma vez que o alto grau da atividade intelectual se mostra entre aqueles cuja idade não atingiu a maturidade física plena.

Na questão 203 de **O livro dos Espíritos**, os benfeitores espirituais responderam a Allan Kardec que os pais não transmitem aos filhos parcelas de suas almas, pois a alma é indivisível. Apenas lhes dão a vida animal, ou seja, os recursos genéticos, ao transmitirem aos filhos a hereditariedade física, como a cor dos olhos e dos cabelos, a forma e a dimensão de certas partes do rosto ou do corpo. Ainda na mesma questão, os benfeitores disseram que um pai obtuso, isto é, ignorante, pode ter um filho inteligente e vice-versa.

LEMBRANÇAS DO PASSADO

Portanto, a origem das faculdades extraordinárias do indivíduo, sem estudo prévio, é atributo do espírito que guarda lembranças do passado. Isso ocorre em razão do progresso anterior adquirido nos campos da pintura, da literatura, da poesia e em outros ramos da arte e da ciência.

Mas e os conhecimentos para a aptidão e a sensibilidade musical, como nos casos de Mozart e de outros gênios anteriormente citados, de onde viriam? A resposta é simples pelo que já comentamos. O espírito troca de roupagem física através das reencarnações sucessivas, porém, sua individualidade imortal não perde jamais o conhecimento intelecto-moral adquirido ao longo de suas experiências, no curso de sua evolução espiritual, até conquistar a condição de puro espírito, a mesma obtida pelo Cristo.

RECORDAÇÕES ESPONTÂNEAS DO MENINO AMERICANO

Outro caso, que comprova a reencarnação, é o do garoto americano chamado James Leininger que tem tido lembranças de outro James: o Tenente James McCready Houston, morto em combate perto da Ilha de Iwo Jima durante a 2ª Guerra Mundial. A precisão dos relatos do menino levou muitas pessoas a acreditarem que ele é a reencarnação do piloto americano.

Tudo começou quando James Leininger tinha apenas dois anos, nessa época ele começou a demonstrar conhecimentos sobre aviação. Seus pais, Bruce e Andrea, passaram a verificar as informações descritas pelo filho e constataram que estavam corretas. Mas foi depois que o menino visitou o Museu de Aviões Kavanaugh, em Dallas, no Texas que eles

James Leininger / James McCready Houston

começaram a ficar preocupados. O garoto iniciou uma série de pesadelos recorrentes sobre seu avião ter sido abatido por uma aeronave japonesa com o desenho de um sol vermelho. Andrea contou ao jornal **Tribune-Review News** que o menino gritava: "Aeronave cai, em chamas, o homem não consegue sair!"

Certa vez, ainda com dois anos de idade sua mãe foi lhe comprar um avião de brinquedo. Ela pegou um modelo e lhe disse que na parte inferior havia uma bomba, mas James logo lhe corrigiu dizendo que não era uma bomba, mas um pequeno tanque de combustível. Como a família não tinha parentes militares e nenhuma ligação com aviação, a mãe estranhou muito. Ela relata que não fazia bolo de carne há 10 anos, desde muito antes do filho nascer:

> "Fiz um bolo de carne e depois de pronto, chamei James para a refeição e ele logo que sentou à mesa disse: 'Bolo de Carne! Eu não como isso desde que eu estava no Natoma.'"

Outra vez quando lhe serviu sorvete o garoto teria dito: "Nós podíamos tomar sorvete todos os dias quando estávamos no Natoma" Como o menino afirmava ter sido morto quando seu avião caiu em chamas no mar e que seu nome tinha sido James Houston, o pai do garoto, Bruce Leininger, começou então a pesquisar e descobriu que houve realmente uma embarcação chamada Natoma Bay, que lutou na batalha de Iwo Jima e que tinha entre seus tripulantes um tenente chamado James Houston. Bruce, que recentemente escreveu o livro **A alma sobrevivente: A reencarnação de um piloto de combate da II Guerra Mundial** se diz gratificado com a situação, alegando que isso ajuda a manter a memória de soldados como James Houston viva.

O livro é um tributo a esses homens do porta-aviões Natoma Bay – "esta é a forma que eu tenho para eternizá-los. Nós não devemos esquecê-los". A família do menino conseguiu localizar alguns parentes do piloto morto. A irmã de James Houston, Anne Barron, atualmente com 87 anos, disse acreditar nos relatos do menino:

> "É muito difícil de dizer, mas tem que ser verdade. Ele sabe muitas coisas. Por alguma razão ele sabe essas coisas".

Ela disse que o irmão desde criança queria voar e se alistou na Marinha dos Estados Unidos depois de cursar um ano de faculdade.

James Huston teve seu avião derrubado em 3 de Março de 1945, durante sua 50ª missão. Ironicamente era previsto que esta seria sua última missão antes de retornar para casa no mês seguinte, conforme conta sua irmã. "Eu não acho que quando morremos nós simplesmente paramos", afirmou Anne Barron.

Já o primo do piloto, Bob Huston, de 74 anos, concorda:

> "Para mim é impressionante. A forma como o garoto descreveu como o avião de meu primo foi abatido é exatamente como foi relatado para minha mãe e seu pai".

Bruce Leininger diz que fica feliz, porque as lembranças de seu filho James vêm sendo menos frequentes à medida que ele vai crescendo:

> "Nós queremos que ele tenha sua própria vida. Ele costumava ser interessado por aviões, mas agora já mudou para Star Wars, então isso já é um avanço".

Mesmo assim diz seu pai que seu filho ainda de certa forma tem um jeito que lembra uma alma antiga:

> "Ele costuma usar algumas expressões fora de moda e que mesmo nós nunca usamos. Ele tem interesse em ver coisas que tenham um apelo histórico, em vez de querer ir a Disney World, por exemplo".

O REENCONTRO

Interessante que James Leininger quando tinha 6 anos de idade, ao ser levado por seu pai a uma reunião de veteranos que serviram no porta-aviões Natoma Bay, James foi capaz de reconhecer um colega de farda, isto é, um dos ex-tripulantes do navio após 60 anos. O comentário do garoto foi: "Como eles estão velhos...".

6
OS RESGATES COLETIVOS

O pior terremoto já registrado na história do Paquistão matou e feriu milhares de pessoas. Em razão disso, cabe aqui uma pergunta: como conciliar a Justiça de Deus, diante dos mortos e feridos na mesma catástrofe, ou em outras já ocorridas, com o ensinamento de Jesus: "a cada um será dado segundo as suas obras?"[5] Isto é, como se dá o cumprimento da Lei de Ação e Reação enunciada pelo Cristo para cada indivíduo dentro do resgate coletivo?

Bem, para entendermos como funciona a Justiça Divina, precisamos compreender que, por força da Lei de Ação e Reação, cada um de nós sofre

---

[5] Disponível em: http://www.espirito.org.br/portal/artigos/benedito/novo-consolador.html

individualmente as consequências dos erros praticados nesta vida ou em anteriores reencarnações. Essa Lei, no entanto, incide, ao mesmo tempo, tanto sobre o indivíduo que recebe de volta o mal praticado quanto sobre a "individualidade coletiva". Essa individualidade é formada por um grupo de pessoas que erraram juntas, como membros de uma mesma família, elementos de uma quadrilha ou cidadãos de um país, e que, reencarnados de novo, expiam coletivamente os erros cometidos.

Explicando melhor: imaginemos guerreiros do passado invadindo e destruindo cidades, arrasando lares, onde mulheres, crianças, jovens, enfim, pessoas de todas as idades perderam a vida sob os escombros de suas casas, além de ceifarem vidas cruelmente. É lógico que os espíritos desses guerreiros sanguinários, ao reencarnarem na Terra, em novos corpos, são atraídos por uma força magnética pelos crimes praticados coletivamente, reunindo-se em determinadas circunstâncias, para sofrerem "na pele", por meio de uma catástrofe, como a que aconteceu no Paquistão, o mesmo mal que fizeram às suas vítimas indefesas de ontem. Só que agora, em consequência de um terremoto. É a lei de ação e reação funcionando por intermédio da dor coletiva.

Da mesma forma que todos os sócios são solidários ao participarem de uma empresa comercial, cada um, porém, no caso de falência, responde individualmente somente pelo capital aplicado. Nós também, como indivíduos, respondemos pelas nossas faltas particularmente, dentro de uma individualidade coletiva. Mas não esqueçamos de que a Misericórdia Divina sempre leva em conta o arrependimento e a prática do bem como atenuantes das faltas cometidas, conforme asseverou Jesus a Maria Madalena: — "o amor cobre a multidão dos pecados".[6]

Outro fato para clarear esse assunto. Tomei conhecimento, alguns anos atrás, de que diversos membros de uma família, por vingança, tocaram fogo na casa dos seus vizinhos inimigos, pela madrugada, matando todos eles. Os assassinos, ao reencarnarem, e unidos novamente pelos laços consanguíneos expiaram seus crimes num desastre, no qual o carro em que viajavam pegou fogo, morrendo

---

[6] Disponível em: http://www.estudosdabiblia.net/bd14_02.htm

queimados todos os seus passageiros. Como se vê, cada um reparou individualmente os crimes cometidos na encarnação anterior, dentro do resgate coletivo. A propósito, há um ditado popular que diz: — "Aqui se faz e aqui se paga", e nós dizemos: "Aqui se faz e aqui se repara".

Cenas do terremoto no Paquistão

7 OS QUE MORREM EM ACIDENTES DE AVIÃO

Dois tripulantes e 17 passageiros morreram, recentemente, num acidente aéreo em Rio Bonito em março de 2006. Ao tomar conhecimento da notícia, certamente pensamos o seguinte: como conciliar o ensinamento de Jesus, "a cada um será dado segundo as suas obras", se morreram no acidente não uma, mas 19 pessoas ao mesmo tempo?

Pois bem, para entender essa questão, precisamos considerar que, por força da Lei de Ação e Reação, cada um de nós sofre individualmente as consequências dos erros praticados nesta vida ou em encarnações passadas. É a chamada lei de retorno, o carma dos indianos. Acontece que a Lei de Ação e Reação incide simultaneamente tanto sobre o indivíduo que recebe o mesmo mal praticado, quanto sobre uma "individualidade coletiva". Essa individualidade pode ser, por exemplo, uma quadrilha de marginais ou uma tripulação de um navio pirata, que praticou os mesmos crimes. E os membros desses grupos criminosos, reencontrando-se em nova reencarnação, juntos resgatam coletivamente o mal que fizeram.

Sobre esse assunto, encontrei explicações no capítulo 18 do livro **Ação e reação**, psicografado por Chico Xavier, nele o Espírito André Luiz relata o socorro prestado por uma equipe de benfeitores espirituais a quatorze espíritos de passageiros e tripulantes desencarnados na queda de um avião, ao bater numa montanha. Nesse capítulo, ele esclarece também que piratas, agora encarnados em outros corpos, morrem coletivamente nos acidentes aéreos, por terem eliminado criminosamente muitas vidas preciosas em pleno mar, afundando embarcações indefesas a fim de roubarem suas cargas valiosas.

Entre os que desencarnam em tais desastres, também estão incluídos os que, em vidas anteriores, atiraram pessoas indefesas do alto de torres para que se espatifassem no chão. Além deles, os suicidas que se jogaram de altos edifícios ou montanhas, em supremo atestado de rebeldia contra as Leis Soberanas de Deus. Como o inferno não existe, concluímos que todos os que erram neste mundo poderão, pelas expiações reparadoras em diversas reencarnações, alcançar a condição de espíritos puros e perfeitos, ou seja, a mesma conquistada por Jesus.

Cena de um acidente de avião

Santos Dumont

8 AS REENCARNAÇÕES DE SANTOS DUMONT

Um leitor da Coluna Em "Nome de Deus", do jornal **Extra**, perguntou-me se o Espírito Santos Dumont já havia se comunicado por algum médium, se já estaria reencarnado, ou se estava no mundo espiritual assistindo as comemorações do centenário do primeiro voo do seu avião 14 BIS em torno da Torre Eifel, em Paris. Em resposta à primeira pergunta, informo-lhe que em julho de 1948, Santos Dumont enviou pelo médium Chico Xavier uma oportuna mensagem, na qual diz em certo trecho:

> "Não há voo mais divino que o da alma. Não existe mundo mais nobre a conquistar, além do que se localiza na própria consciência, quando deliberarmos nos converter o bem supremo. Alcemos corações e pensamentos ao Cristo".[7]

---

[7] Disponível em; http://www.oconsolador.com.br/ano2/73/gerson_simoes.html

O texto na íntegra está publicado no livro **Trinta anos com Chico Xavier,** de autoria do Professor Clóvis Tavares.

Com relação à segunda pergunta, esclareci que ele reencarnou na cidade de Campos, em março de 1956, como filho de Clovis Tavares e de Hilda Mussa Tavares, com o nome de Carlos Vitor, segundo revelação de Chico Xavier. Aos nove meses de idade, ele caiu de um carrinho de bebê, e com o tombo deslocou a vértebra cervical, ficando tetraplégico. Esse fato foi narrado por seu irmão Dr. Flavio Mussa Tavares, médico homeopata, ao ser entrevistado pelo jornal **Folha Espírita,** publicado em São Paulo, pela Editora Fé.

Dr. Flávio disse também, que o irmão, Carlos Vitor a partir daí passou a depender totalmente dos pais, dele e da irmã, vindo a desencarnar aos 17 anos de idade, em fevereiro de 1973. Como se sabe, Santos Dumont enforcou-se no dia 23 de julho de 1931, no Guarujá, em São Paulo, ao ficar deprimido durante a revolta constitucionalista, quando presenciou mineiros e paulistas se digladiando no céu usando o avião como arma de guerra. Não suportando ver o seu invento sendo usado para matar, cometeu o suicídio.

Foi por isso, diz Chico Xavier, que o Espírito Santos Dumont, antes de reencarnar, decidiu expiar a sua morte pelo suicídio, por meio de uma vida curta como paraplégico. Eis o motivo pelo qual a queda acidental sofrida por Carlos Vitor, aos nove meses de idade, deslocou a sua vértebra cervical. O médium mineiro, disse, também, num programa de TV, que a vértebra já estava deslocada no perispírito, isto é, no corpo semimaterial que envolve o espírito de Carlos Vítor, lesada ao se enforcar. Esse depoimento, aliás, encontra-se registrado no livro **Jesus e nós**.

Flávio Mussa também informou que seu pai, o Professor Clóvis Tavares, manteve em sigilo as revelações feitas por Chico Xavier sobre as reencarnações anteriores de Santos Dumont. Chico revelou ao Professor Clóvis que o inventor vivera duas reencarnações em inesgotável pesquisa sobre a aviação: a do padre brasileiro Bartolomeu Lourenço de Gusmão (1685-1724) e a do balonista francês Joseph Montgolfier (1740-1810).

Bem antes disso, ele também se dedicara à navegação marítima nas personalidades dos navegadores italianos: Marco Polo (1254-1324) e Cristóvão Colombo (1451-1506), sempre com a ânsia de descobrir novos caminhos. Todavia, em suas biografias encontramos semelhanças de suas trajetórias evolutivas, sempre na busca de encurtar distâncias entre os povos. Era, portanto, o mesmo espírito tomando diferentes personalidades a cada reencarnação (Marco Polo, Colombo, Bartolomeu de Gusmão, Montgolfier, Santos Dumont).

1. Marco Polo

2. Cristóvão Colombo

3. Bartolomeu de Gusmão

4. Montgolfier

5. Santos Dumont

6. Carlinho, com 1 ano, no colo de seus pais Clóvis Tavares e Hilda M. Tavares

QUANDO JESUS FALOU DE REENCARNAÇÃO

É evidente que o vocábulo reencarnação, neologismo criado por Allan Kardec ao codificar a Doutrina Espírita, a partir de 1857, não poderia ter sido empregado pelo Cristo dois mil anos atrás. Porém, em três passagens de sua vida, Jesus falou de reencarnação, ao admitir a volta do espírito a um novo corpo carnal, sem, entretanto, utilizar o referido vocábulo, como veremos a seguir.

REENCARNAÇÃO DE ELIAS

A primeira dessas passagens em O Novo Testamento, na qual Jesus admitiu o renascimento do espírito em outro corpo, se deu quando João Batista, preso na fortaleza de Maqueronte, enviou dois de seus discípulos para falarem com o

Mestre. Tal empenho deve-se ao objetivo de certificar se, de fato, era Ele o Messias ansiosamente aguardado pelos judeus, ou se deveria esperar por outro, uma vez que muitos admitiam que Jesus era a reencarnação do profeta Elias.

Ao ser questionado pelos dois enviados de João Batista, o Cristo, querendo afirmar que Ele era o Messias esperado pelos judeus, respondeu-lhes: "E se vós o quereis compreender, ele mesmo (se referindo a João Batista) é o Elias que há de vir. O que tem ouvidos para ouvir ouça!".[8] Com essas palavras, Jesus admitiu, portanto, que o Batista era o próprio Elias reencarnado com o objetivo de preparar o Seu caminho espiritual junto ao povo judeu, de acordo com o que foi anteriormente anunciado por mais de uma dezena de profetas no Velho Testamento.

Aliás, quem não admitir o fato de ter sido João Batista o profeta Elias, automaticamente estará negando que Jesus foi o Messias, pois em **A Bíblia** não encontramos qualquer pessoa com o nome de Elias que tenha exercido a missão de preparar o

---

[8] Disponível em: http://www.radioriodejaneiro.am.br/anx/imprensa/15_GM_SeJoaoBatistaNaoFoiEliasReencarnado_RIE.pdf

povo judeu para o início da pregação do Cristo, a não ser, como se sabe, o próprio João. Portanto, ao dizer que João Batista era realmente *o Elias que haveria de vir,* o Mestre explicitamente admitiu o retorno do espírito a um novo corpo, que nada tem a ver com o anterior.

Nesse episódio, como vimos, Jesus se referiu expressamente ao fenômeno reencarnatório sem empregar a palavra *reencarnação.* Da mesma forma, no Apocalipse, João Evangelista não poderia ter empregado a expressão *bombardeiro supersônico* ou *ogivas nucleares*, posto que se tratava de conquistas não conhecidas pela humanidade na época, razão pela qual utilizou a expressão *"pássaros desovando ovos de fogo",* ou seja, na linguagem atual, aviões despejando bombas.

COMPROVAÇÃO NA BÍBLIA

Ainda para comprovar que João Batista era o próprio profeta Elias, vale destacar a última profecia a esse respeito, no versículo 5, capítulo 4, do Livro de Malaquias. E tanto isso é verdade que a própria *Nota Explicativa* desse texto, contida em a **Bíblia Sagrada**, tradução da Vulgata, realizada pelo Padre

Matos Soares e publicada pelas Edições Paulinas, diz textualmente:

> "Elias: Jesus Cristo reconheceu em João Batista o Elias que devia vir (Mateus 11:10; Marcos 9:11).[9] Na promessa de um filho a Zacarias, pai de João Batista, encontramos exatamente as palavras do profeta aplicadas precisamente a João (conforme Lucas 1:17)".[10]

Essa *Nota Explicativa*, como podemos inferir, visando não deixar dúvida quanto à reencarnação de Elias como João, nos remete ao Evangelho de Mateus e de Marcos, nos quais nos deparamos com palavras do próprio Jesus confirmando esse retorno.

A referida *nota* também faz alusão à volta de Elias quando aborda a revelação do Anjo a Zacarias, anunciando que o seu filho iria nascer e que deveria receber o nome de João, revelando, ainda, a missão que ele iria desempenhar: *"... Ele converterá muito dos filhos de Israel ao Senhor seu Deus, e irá adiante dele no espírito e virtude de Elias".*[11] Esse

---

[9] Disponível em: http://www.bibliaonline.com.br/acf/mc/1

[10] Disponível em: http://www.bibliaon.com/versiculo/lucas_1_17/

[11] Disponível em: http://www.espirito.org.br/portal/artigos/benedito/joao-batista.html

filho de Zacarias foi justamente João Batista, que desempenhou a referida missão prevista pelo Anjo antes dele nascer, acrescentando que *ele teria o mesmo espírito e a virtude de Elias.*

ELIAS JÁ HAVIA REENCARNADO

A segunda vez que Jesus nos falou sobre a reencarnação foi no *Monte Tabor,* após a Sua transfiguração, estando presentes Pedro, João e Tiago. Nessa oportunidade, conforme o relato de Marcos, Ele conversou com os espíritos de Elias e Moisés.

Isso se deu quando os apóstolos, ao descerem o Tabor, procuraram obter o esclarecimento de Jesus para a seguinte dúvida: se os fariseus e os escribas, intérpretes das escrituras, declaravam que Elias ao voltar desempenharia a missão de precursor do Messias, isto é, desempenharia sua missão antes de Jesus, e se Elias ainda estava no plano espiritual, logo Jesus não poderia ser o Messias esperado. Diante desse questionamento, o Mestre respondeu, sem rodeios: *"Mas digo-vos que Elias já veio, e fizeram dele quanto quiseram, como está escrito.*[12]

---

[12] Disponível em: http://www.radioriodejaneiro.am.br/anx/imprensa/15_GM_SeJoaoBatistaNaoFoiEliasReencarnado_RIE.pdf

Os discípulos, ao receberem essa resposta, deduziram que o espírito Elias havia reencarnado como João Batista, e pelo fato de ter sido degolado a mando de Herodes, já havia retornado à espiritualidade. Tudo isso se confirma no registro de Mateus sobre a conclusão a que chegaram: *"Então os discípulos compreenderam que Jesus tinha falado de João Batista".*[13]

É bom que se diga, a esta altura, não ter sido mera coincidência o fato de João morrer degolado. O que aconteceu, na verdade, foi o cumprimento do "a cada um segundo as suas próprias obras", em virtude da dívida assumida por Elias perante as leis Divinas, ao ter mandado degolar os adoradores de Bahal.

Outra prova incontestável do fenômeno reencarnatório está não somente na semelhança dos traços psicológicos das personalidades de Elias e de João Batista, mas também no estilo profético de ambos, porque na realidade o espírito que animou as duas personalidades era o mesmo, com corpos e nomes diferentes. Por esse motivo, pode-se compreender perfeitamente a colocação de Lucas ao

---

[13] Disponível em: http://www.radioriodejaneiro.am.br/anx/imprensa/15_GM_SeJoaoBatistaNaoFoiEliasReencarnado_RIE.pdf

abordar o nascimento de João Batista: *"... irá diante dele com o espírito e a fortaleza de Elias..."*.[14]

NASCER DE NOVO

A terceira passagem no Evangelho na qual Jesus também se refere à reencarnação encontra-se registrada no diálogo estabelecido com Nicodemos. Ao ser questionado pelo Doutor da Lei sobre o que seria necessário para alcançar o "reino dos céus", ou, em outras palavras, a perfeição espiritual, Jesus sentenciou: *"Ninguém pode ver o reino de Deus se não nascer de novo"*.[15]

Diante desta resposta, pergunta Nicodemos: "Como pode nascer um homem já estando velho? Pode tornar a entrar no ventre de sua mãe para nascer pela segunda vez?".[16]

E Jesus redarguiu entre outros esclarecimentos, afirmando: *"... Não te admires de que eu te*

---

[14] Disponível em: http://www.radioriodejaneiro.am.br/anx/imprensa/15_GM_SeJoaoBatistaNaoFoiEliasReencarnado_RIE.pdf

[15] Disponível em: http://www.espirito.org.br/portal/codificacao/es/es-04.html

[16] Disponível em: http://www.radioriodejaneiro.am.br/anx/imprensa/15_GM_SeJoaoBatistaNaoFoiEliasReencarnado_RIE.pdf

haja dito ser preciso que nasças de novo".[17] Isto é, somente se conquista a perfeição espiritual através da reencarnação, pois não há outro meio de conquistá-la diante das Leis de Deus.

Nicodemos e Jesus – Alexander Bida.

CRISTIANISMO E REENCARNAÇÃO

Em 313 d.C., quando o Império Romano viu no Cristianismo o aliado ideal para sua sobrevivência, através do Édito de Milão a pureza da doutrina de Jesus passaria a ser manipulada pelos interesses rasteiros do poder transitório, através dos concílios, onde, a partir deles, tudo que oferecesse ameaça ao Império seria extirpado como heresia. Assim foi, por exemplo, no Concílio de Nicéia, em 325, onde arianos e fundamentalistas se digladiavam para defender seus pontos de vista aos olhos do imperador Constantino.

Particularmente, em 553, no Segundo Concílio Ecumênico de Constantinopla é que a reencarnação será sepultada no vale das heresias da Igreja Romana. Justiniano era imperador nessa época e sua esposa Teodora era uma mulher muito astuta, e muito frequentemente perseguia povos com sobeja crueldade, iníqua que era. E, como a reencarnação ainda existia no seio da doutrina cristã, ela não admitia a ideia do regresso para ressacir-se com a própria vida, cheia de injustiças. Apela, então, para seu esposo, Justiniano, para que fosse dado a ela um tratamento que substituísse aquilo que ela julgava inconcebível, certamente por temor à reencarnação.

E, em 553, Justiniano, então imperador romano, aquiescendo ao pedido de Teodora, que já falecera, reúne a alta cúpula da Igreja Romana para abolir de vez por todas do Cristianismo, a reencarnação, verdade pregada por Jesus.

---

[17] Disponível em: http://www.espirito.org.br/portal/cursos/cbeadep/caderno06.html

MÃE REENCARNA E REENCONTRA FILHOS AINDA ENCARNADOS

Alguém já lembrou da própria vida passada, isto é, quem foi, o que fazia, como morreu, a cidade onde viveu, e encontrou ainda os parentes encarnados aqui na Terra? Posso afirmar que já, e o mais importante: conseguiu comprovar tudo isso reencarnado em outro corpo, com os próprios familiares que permaneciam vivos na Terra. Todos esses fatos você poderá conferir no filme **Minha Vida na Outra Vida**, dublado em português.

Não é de hoje que a existência ou não da reencarnação vem sendo discutida, inclusive com pesquisas científicas sérias, que, mesmo não sendo ainda aceitas oficialmente têm demonstrado a veracidade da reencarnação. Mas, o que nos chama a atenção são os casos espontâneos de recordação de vidas passadas, com características especiais que não deixam dúvida sobre a verdade reencarnatória, como o Espiritismo sustenta. Entre esses casos vamos destacar o ocorrido com a inglesa Jenny Cockell.

Após a exibição do filme **Minha vida na outra vida**, em outubro de 2006, no Cine Odeon BR, coordenei um debate sobre a reencarnação, baseado em fatos vividos pela inglesa Jenny Cockell. Ela, desde a infância, tinha estranhos sonhos, que a acompanharam até a idade adulta, vendo-se em outra época e vivendo em outro lugar. Por volta de 1990, morando na Inglaterra, Jenny, ao completar quarenta anos de idade, e apoiada pelo esposo, resolveu pesquisar aquilo que os sonhos lhe repetiam sempre. "Eu tinha necessidade de saber se meus filhos da vida passada estavam bem, e não poderia estar tranquila sem esclarecer o fato".

Jenny disse que quando observou o mapa da região de Malahide, ao norte de Dublin, na Irlanda, sentiu intuitivamente que ali vivera com o nome de Mary Sutton. Ao morrer, havia deixado cinco filhos pequenos, tendo o seu filho mais velho 12 anos de idade na ocasião. O caso teve o desdobramento esperado, pois Jenny encontrou a velha casa onde havia morado, já em ruínas. O encontro dos seus filhos da outra encarnação contou com a ajuda dos jornais irlandeses, e de cartas enviadas às igrejas, que chegaram a eles por viverem ainda na Irlanda.

A BBC, estatal britânica de rádio e TV, investigou as lembranças de Jenny e Sonny Sutton, filho mais velho de Mary. Nessa oportunidade, ela demonstrou saber de particularidades da casa de Mary Sutton, até mesmo o seu modo de enfiar a agulha de costura, tudo confirmado por Sonny. O índice

MARY SUTTON JENNY COCKELL

de acertos de Jenny Cockell, com relação às recordações de sua vida passada pesquisadas pela BBC, foi de 98%. Os filhos disseram que os traços de Jenny se assemelhavam aos de sua mãe Mary Sutton, falecida por volta de 1930. Interessante que a inglesa Jenny Cockell reencontrou e reconheceu seus filhos ainda reencarnados.

DVD do filme
Minha vida na outra vida

DVD

O DVD do filme produzido pela Versátil (www.dvdversatil.com.br), tem como atriz principal Jane Seymour, a mesma que estrelou **Em algum lugar do passado**. No elenco constam ainda os atores Hume Cronyn e Clancy Brow. A direção é do cineasta norte-americano Marcus Cole.

Pela primeira vez na história, um filme produzido e interpretado por atores não espíritas, retrata com fidelidade a reencarnação. **Minha vida na**

outra vida é inspirado num fato real, e foi adaptado do livro **Yesterday children**, que conta a história de Jenny Cockell, nascida em 1953, e que, em 1990, começa a ter visões da sua última existência neste mundo, nos anos 30 do século XX. Jenny sai à procura de seus filhos da sua vida anterior em uma cidade da Irlanda, e consegue reencontrá-los. É muito emocionante!

Como se sabe, o espírito é criado por Deus sem nenhuma evolução, sendo através das diversas reencarnações, neste mundo ou em outros, que ele irá progredir até conquistar a perfeição espiritual. Essa perfeição, a mesma já atingida por Jesus, será também, por nós, alcançada um dia, por mais errados que sejamos. Essa é a nossa grande esperança em Deus!

A reportagem sobre esses fatos, publicada na revista **People** em 1994, teve ampla repercussão em todo o mundo, bem como a reportagem da Directv mostrando Jenny Cockell e seus filhos da encarnação passada. Você pode conferir tudo isso assistindo o DVD do filme **Minha vida na outra vida**.

11

FILHO VOLTA COMO NETO

Os espíritos formam grupos ou famílias no mundo espiritual, ligados pela afeição e simpatia. Ao reencarnarem, reúnem-se na mesma família ou num mesmo círculo de afinidade, a fim de trabalharem juntos pelo mútuo adiantamento. Podem, dessa forma, reencarnar muitas vezes na mesma família, desde que tenham uma afeição real de alma para alma. Por outro lado, as ligações com vizinhos ou empregados poderão igualmente decorrer de laços familiares ou amizades antigas. Por meio da reencarnação, portanto, há continuidade das relações entre os que se amaram e continuam se amando.

Nesse sentido, o engenheiro suíço Karl E. Muller, no livro **Reencarnação baseada em fatos**, relata um acontecimento ocorrido com um menino de dois anos de idade, que disse à sua mãe: "Estou aqui, porque amo você, papai e Leslie, meu irmão". Não incluindo nessa relação outras pessoas da família, a mãe então respondeu que ele devia amar a todos os seus parentes, pois todos gostavam dele, ao que o pequeno filho replicou: "Não é isso, mamãe. Você não se lembra da época em que estávamos mortos?" Ao dizer isso, o menino estava se referindo à ligação dele no mundo espiritual com os seus pais e o irmão, antes de reencarnar.

Existe também o caso de Espíritos que, ao se tornarem inimigos em vidas passadas, podem reencarnar numa mesma família, a fim de se reconciliarem em nome do amor, pois essa é a determinação de Deus para os Seus filhos.

Fato interessante foi o meu neto aos cinco anos de idade, revelar espontaneamente ter sido meu filho reencarnado, dizendo: "antes de estar na barriga da minha mãe, estava na barriga da vovó". Disse ainda, aos seis anos, que tendo aparecido um machucado nas costas da qual saía sangue, "ele foi lá para cima", e depois voltou. Na realidade, ele estava dizendo que, ao ter morrido na vida anterior devido a um câncer na omoplata, do qual esguichava sangue do tumor, sua alma voltou para o mundo espiritual. E depois disso, retornou em novo corpo como meu neto. Resumindo, o mesmo espírito que desencarnou como meu filho, em 1965, com um ano e dez meses, reencarnou depois como meu neto em 1982.

Yen Eun

12

A GENIALIDADE DE YEH EUN

Assisti o vídeo da apresentação da pianista Yeh Eun, de apenas cinco anos e cega, através do Youtube, pela Internet. Fiquei emocionado ao vê-la tocar diante de uma banca de jurados num programa de televisão num país asiático, recebendo a nota 95. Ela, segundo sua mãe adotiva, começou a tocar aos três anos de idade, sem ninguém tê-la ensinado.

É bom esclarecer que, além dessa pianista cega Yeh Eun com 5 anos de idade, na história da música vamos encontrar uma série de crianças-prodígio denominadas de superdotadas. Mozart, com quatro anos de idade executou uma sonata. Sua faculdade musical desenvolveu-se tão rapidamente que aos onze anos compôs duas pequenas óperas.

Gabriel Dellane, no livro **A reencarnação**, relaciona uma série dessas crianças, como Beethoven, o "deus da música", já se distinguia aos dez anos por seu notável talento de executante.

O pesquisador Gabriel Dellane relata também em sua obra que teve o prazer de ver, em um Congresso de Psicologia no ano de 1900, o jovem Pepito Ariola, que aos três anos e meio de idade, tocava e improvisava diversas árias sem conhecer as notas e nem saber ler ou escrever. Portanto sem a reencarnação, não há como explicar a precocidade musical da menina Yeh Eun, Mozart e de tantas outras crianças relacionadas por Gabriel Dellane naquele livro.

Sobre o assunto, a Doutrina Espírita, com base em sua filosofia espiritualista, prova com evidências irrecusáveis que a inteligência é independente do organismo, por ser um atributo do espírito, uma vez que o alto grau da atividade intelectual se mostra entre aqueles cuja idade não atingiu a maturidade física plena.

A questão 203 de **O livro dos Espíritos**, *de A*llan Kardec, ensina que os pais não transmitem aos filhos parcelas de suas almas, pois a alma é indivisível. Apenas lhes dão a vida animal, ou seja, os recursos genéticos, ao transmitirem aos filhos a hereditariedade física, como a cor dos olhos e dos cabelos, a forma e a dimensão de certas partes do rosto ou do corpo, em razão disso, um pai ignorante pode ter um filho inteligente e vice-versa.

Tiradentes – Ilustração

13 TIRADENTES REPAROU O PASSADO DE INQUISIDOR

Tiradentes, o Mártir da Inconfidência Mineira, morreu enforcado no Rio de Janeiro, no dia 21 de abril de 1792. Como se sabe, ele foi condenado a morrer na forca por ter liderado o movimento formado pelos Inconfidentes, cujo objetivo era o de emancipar politicamente o Brasil de Portugal.

Os delatores da Inconfidência, porém, levaram o plano ao então governador de Minas Gerais. Presos, Tiradentes no Rio de Janeiro e os demais membros da conspiração em Vila Rica, foi aberto o inquérito que os condenou à morte. Durante a leitura da peça condenatória, os infelizes sentenciados passaram as mais dolorosas e recíprocas recriminações, diante da fraqueza moral de que eram possuídos seus corações desiludidos e desamparados.

Mas, no dia seguinte, a Rainha de Portugal, D. Maria I, modificou a pena de morte dos Inconfidentes pela extradição para desoladas regiões africanas, com exceção do líder Joaquim José da Silva Xavier. Ele teria de morrer na forca, conservando-se o cadáver insepulto e esquartejado, para servir de exemplo a quantos planejassem novas traições à Coroa Portuguesa.

Relata o Espírito Humberto de Campos, no livro **Brasil coração do mundo — Pátria do evangelho**, psicografado pelo médium Chico Xavier, que o Mártir da Independência se revestiu de supremo heroísmo. Seu coração sentiu uma alegria sincera pela expiação cruel que somente a ele fora reservada.

Ao morrer na forca, Tiradentes foi cercado pelas falanges invisíveis de Ismael, Guia Espiritual do Brasil, e sua alma edificada foi recebida por esse elevado mensageiro do Mestre Jesus, que lhe disse:

> "Irmão querido, resgatas hoje os delitos cruéis que cometeste quando te ocupavas da função

de inquisidor, nos tempos passados. Redimiste o pretérito obscuro e criminoso, com as lágrimas do teu sacrifício em favor da Pátria do Evangelho de Jesus...".[18]

Por essas palavras, Ismael esclarecia ao Espírito Tiradentes que, ao morrer enforcado, a lei de "ação e reação" havia sido exercida, de acordo com os ensinamentos do Mestre, ao enunciar que "a cada um será dado segundo as suas próprias obras".[19] Afinal, Deus sempre dá ao espírito culpado a oportunidade de reencarnar e reparar os erros cometidos em encarnações anteriores, pois ninguém vai para o inferno, que por sinal não existe e nunca existiu.

---

[18] Disponível em: http://www.oconsolador.com.br/linkfixo/bibliotecavirtual/Brasil_Coracao_do_Mundo_Patria_do_Evangelho.pdf

[19] Disponível em: http://www.espirito.org.br/portal/artigos/benedito/novo-consolador.html

Nicole Kidman (Detalhe)

REENCARNAÇÃO NO CINEMA

É possível alguém reencarnar e reconhecer parentes e amigos da encarnação anterior? Claro que sim, e é exatamente esse o tema do filme **Reencarnação,** Nicole Kidman interpreta Anna, uma mulher que, depois de uma década de viuvez, continua apaixonada pelo marido morto. Estando noiva para se casar pela segunda vez, aparece o menino de nome Sean, por volta dos seus dez anos, dizendo ser seu marido reencarnado. O acontecimento provoca uma confusão de sentimentos em Anna e uma grande perturbação na sua família, em razão de o menino revelar detalhes de sua vida passada com ela e seus familiares.

Para que tal situação pudesse acontecer, é lógico que a reencarnação do ex-marido de Anna teria que se dar imediatamente após a sua desencarnação, e isso está perfeitamente de acordo com a questão 223 de **O livro dos Espíritos**, de Allan Kardec. Normalmente, ao reencarnarmos, nós esquecemos o nosso passado como uma bênção de Deus, a fim de não lembrarmos dos erros cometidos em existências passadas. Excepcionalmente, podemos recordar de nossa vida anterior, como aconteceu com Sean, do filme **Reencarnação**.

Pesquisas científicas nesse sentido foram feitas pelo parapsicólogo indiano Ramendra Banerjee, que investigou 1.200 casos de pessoas que tinham recordações de suas vidas anteriores. Um desses casos foi o de Shanti Devi, nascida em 1926, em Nova Delhi. Com poucos anos de idade, Shanti descreveu, com detalhes, fatos de sua outra vida na cidade de Mutra, a 100 quilômetros da sua cidade natal. Disse que em outra vida nascera em 1902, que o seu marido se chamava Kedar Nath Chaubey e que ela morrera ao dar à luz a um filho. Aos nove anos de idade, a sua insistência era tal que seus pais viajaram com ela para Mutra.

No encontro com Kedar, seu ex-marido, Shanti respondeu a todas as perguntas que ele lhe fez. Shanti mandou inclusive preparar pratos da preferência de Kedar, perguntando-lhe à mesa: "por que você se casou de novo? Não tínhamos combinado que, se um de nós enviuvasse, nunca mais se casaria de novo?".[20]

O caso Shanti Devi, e muitos outros, está publicado no livro **Reencarnação baseada em fatos**, do engenheiro suíço Karl E. Muller.

[20] Disponível em: http://www.radioriodejaneiro.am.br/anx/imprensa/20050410_GM_ReencarnacaoCinema_EXTRA.pdf

Menino Jesus perante os doutores da lei – Alexander Bidar

15

AOS DOIS ANOS DE IDADE JÁ SABIA LER E ESCREVER

Como explicar, sem levar em conta a reencarnação, o caso do menino prodígio Lennon Corrêa de Brito, que aos dois anos de idade já sabia ler, escrever e contar, e aos quatro somar e subtrair, ler jornais e até navegar na Internet, segundo reportagem do **Extra** do dia 16 de novembro de 2005? E o mais surpreendente, o fato de sua mãe ter flagrado Lennon aos dois anos de idade contando de zero a cem – de trás para frente – dentro do banheiro!

Sem a reencarnação, também não poderíamos entender o caso de Sho Yano, que aos 14 anos de idade já era formado em Medicina: com nove, ele entrou na Universidade de Loyola, em Chicago, Estados Unidos, onde se graduou como médico quatro anos depois; e ainda o caso do norte-americano Matthew Marcus, de 12 anos de idade, morador de um subúrbio de Nova Iorque e autodidata em Matemática, Química e Física. Em dois anos, completou os seis previstos para cursar o equivalente, em seu país, ao Primeiro e Segundo Graus.

Antes de tudo, é preciso esclarecer que a Doutrina Espírita prova com evidências irrecusáveis que a inteligência é um atributo do espírito. Isso fica claro pelo alto grau de atividade intelectual revelado por aqueles que ainda não atingiram a maturidade física plena. Mozart, por exemplo, tocou violino aos quatro anos de idade e aos onze compôs duas óperas.

Dessa forma, fica evidente que a origem das faculdades extraordinárias do indivíduo desde criança, sem estudo prévio, está no espírito que guarda lembranças dos conhecimentos adquiridos em vidas passadas. Isso ocorre em razão do progresso anterior adquirido pelo espírito nos campos da Matemática, Pintura e Literatura, ou em outros ramos da Arte e da Ciência. Eis porque Sócrates, o grande filósofo grego, afirmava que "aprender é recordar".

Portanto, somente com a reencarnação podemos explicar os conhecimentos, aptidões e a sensibilidade musical demonstrados pelas crianças superdotadas aqui citadas, e por tantas outras. Como se sabe, o espírito, ao trocar de corpo, não perde jamais o conhecimento intelectual e as aquisições morais adquiridas ao longo das reencarnações sucessivas, no curso de sua evolução espiritual, até chegar à perfeição, a mesma já alcançada por Jesus.

Papa celebra hoje missa por 317 mortos de Niterói

JORNAL DO BRASIL

Anuncia a Índia que Goa é sua

U Thant ordena tréguas

Manchete do grande incêndio no circo americano, em Niterói.

16

A TRAGÉDIA DO CIRCO DE NITERÓI

No dia 17 de dezembro de 1961, ocorreu comovedora tragédia na cidade de Niterói com o incêndio do Circo Norte Americano, recentemente focalizado pelo Programa Linha Direta, da TV Globo. Segundo o Espírito Humberto de Campos, pelo médium Chico Xavier, no livro **Crônicas de além-túmulo**, os que morreram queimados e pisoteados nesse doloroso acontecimento, ou mesmo os acidentados, foram aqueles que, no ano de 177 de nossa era, colocaram cerca de mil crianças e mulheres cristãs para morrerem queimadas numa arena de um circo na Gália, região da França, na época do Império Romano.

É bem verdade que o Espiritismo nos explica a causa dos sofrimentos das criaturas humanas como consequência das faltas cometidas por elas nesta existência ou em encarnações passadas. Esse esclarecimento está de pleno acordo com o ensinamento de Jesus: "A cada um será dado segundo as suas obras"[21], ou seja, ninguém paga pelo erro cometido pelo pai, pela mãe, pelos avós ou até, como muitos acreditam, por Adão e Eva. Ora, se a justiça humana pune o culpado e não o inocente, como Deus, sendo a Justiça Suprema punirá você, que não tem culpa por uma coisa que seu pai fez de errado, ou pelos erros cometidos por Adão e Eva?

O Espiritismo também esclarece: a lei que age sobre o indivíduo é a mesma que age sobre a família, a nação e as raças, formando individualidades coletivas. Existem, portanto, as faltas do indivíduo, as da família e as de um país, e cada uma dessas faltas – qualquer que seja o seu aspecto – é reparada pela aplicação da mesma lei de ação e reação ensinada por Jesus. Diz até um ditado que a semeadura é livre, mas a colheita é obrigatória.

Portanto, a reparação dos erros praticados por um grupo de pessoas é solidária, isto é, os mesmos

---

[21] Disponível em: http://www.espirito.org.br/portal/artigos/benedito/novo-consolador.html

Espíritos que erraram juntos, como não vão para o inferno, pois, ele nunca existiu, se reúnem na Terra em nova reencarnação para sofrerem o retorno do mal praticado, reparando suas faltas anteriores. E isso foi o que aconteceu no incêndio do circo, quando a Justiça Divina, através da reencarnação, reaproximou os responsáveis em diversas posições da idade física para dolorosa expiação, libertando suas consciências das culpas passadas.

Jay Greenberg

17

A GENIALIDADE DE JAY GREENBERG

Na história da música vamos encontrar uma série de crianças-prodígio denominadas de superdotadas. E mais uma em pleno século XXI surge na comunidade judaica americana. Jay Greenberg, um garoto que aos dois anos de idade começou a compor, desenhou um violoncelo e pediu aos pais para comprarem aquele instrumento.

Quando Jay Greenberg completou 12 anos, assistiu a sua obra musical "Tempestade" ser tocada pela Nova Haven Sinfônica, na cidade de Connecticut, nos Estados Unidos. Ele escreveu cada nota para todos os instrumentos em poucas horas. Aos 13 já havia escrito cinco sinfonias. Agora fez um contrato com a Sony e a Orquestra Sinfônica de Londres acaba de gravar a sua quinta sinfonia. E foi aí que Jay pode ouvi-la pela primeira vez. Ele começou a escrevê-la um dia, na sala da escola, ao ficar aborrecido com a aula de História, olhando distraído para um mapa na parede em frente. A obra musical tem 190 páginas.

A respeito de Jay Greenberg disse o compositor Sam Zyman: "Estamos a falar de um prodígio ao nível dos maiores da história na área da composição, como Mozart, Mendelssohn e Saint-Saëns". Ora, sem a reencarnação não podemos explicar a precocidade musical de Jay, de Mozart, e de tantas outras crianças superdotadas, porque donde viriam tais conhecimentos para a aptidão e a sensibilidade musical? A origem das faculdades extraordinárias do indivíduo, sem estudo prévio, é atributo do espírito que guarda lembranças do passado. Isso ocorre, em razão do progresso de outra encarnação adquirido no campo da música, da pintura, da literatura, da poesia, ou em diversos ramos da arte e da ciência.

Segundo **O livro dos Espíritos**, publicado em 18 de abril de 1857, o espírito troca de corpo físico através das reencarnações sucessivas, no curso de sua evolução. Porém, sua individualidade imortal não perde jamais o conhecimento intelectual e o desenvolvimento moral adquiridos ao longo das suas experiências reencarnatórias, conquistas necessárias para chegarmos à perfeição espiritual.

Barrabás – Ilustração

18

BARRABÁS REENCARNARÁ PARA APRENDER

Quando Barrabás, tristonho, maltrapilho e exibindo extensa chaga em sua cabeça, adquirida na prisão, fitou o Cristo pendurado na cruz, passou a refletir: "Por que motivo fora o Cristo condenado? Não era o Cristo o Sol do novo dia, o Grande Prometido anunciado?" O pobre Barrabás, que tivera o favor da multidão obtendo o perdão em lugar de Jesus, parou ali, observando longamente o réu crucificado. Enquanto se ralava em pensamento, pequena gota de suor sangrento vinha de Jesus morto na cruz até ele, trazida pelo vento, caindo-lhe na ferida que trazia no crânio. Verificando que a chaga que trazia na cabeça fora curada, ele ergueu a voz ao Céu e exaltou-se dizendo:

> "Agradeço-te, oh! Deus Onipotente, a inesperada graça. Curaste-me com o suor de teu Messias a ferida cruel que me arrasava os dias. Não quiseste salvar quem falava em Teu nome e fizeste-me livre novamente".[22] Tomado de orgulho, Barrabás dizia ainda: "Colocaste-me acima de Jesus!... Matei, furtei, prejudiquei... No entanto, vejo-me sob a força de Teu manto... Desprezaste a Jesus e libertaste a mim!... Livre, tal qual me vejo, serei eu o maior?"[23]

Nesse momento, segundo revelação da poetisa Maria Dolores na obra **Somente amor**, psicografado pelo médium Chico Xavier, um dos anjos de alto nível que velava o Cristo, representando os Céus ao pé da cruz, disse-lhe:

> "Barrabás, não nos roube a paz, nem blasfemes à frente de Jesus!... Entre a tua existência e a senda do Senhor, a diferença é ilimitada, pois Jesus se eleva em liberdade plena à vida soberana. Quanto a ti, na estrada humana, continuas cativo às correntes da treva que teceste em torno de ti mesmo..."

---

[22] Disponível em: http://www.scribd.com/doc/6766536/XAVIER - Francisco-Candido-Somente-Amor-Meimei-Maria-Dolores

[23] Disponível em: http://www.scribd.com/doc/6766536/XAVIER - Francisco-Candido-Somente-Amor-Meimei-Maria-Dolores

Barrabás, assustado, pôs-se em pranto, e vergado de dor, angústia e espanto, viu-se debaixo do temporal rude e violento, preso às cadeias do arrependimento. Solitário, desceu chorando as pedras do calvário, falando a sós consigo, alarmado e também abatido: "Graças te dou, meu Deus, por haver compreendido! Necessito da Terra... É preciso aprender!...".[24]

---

[24] Disponível em: http://www.scribd.com/doc/6766536/XAVIER - Francisco-Candido-Somente-Amor-Meimei-Maria-Dolores

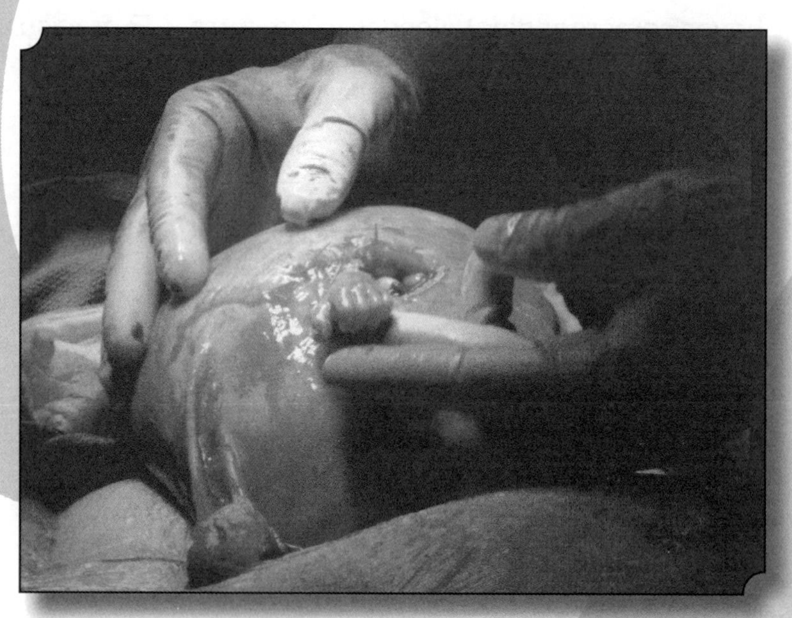

Bebê toca a mão do médico durante cirurgia fetal – Fotografia de Michael Clancy

19

A PROVA DE QUE O FETO TEM VIDA ESPIRITUAL

Todas as vezes que se discute o aborto, surge uma questão polêmica: quando começa a vida humana? Ora, levando-se em conta que o ser humano é corpo e espírito, podemos responder com segurança a essa questão, dizendo que a vida humana começa na concepção, quando se verifica a união da alma e do corpo. Essa assertiva está na questão de número 344 de **O livro dos Espíritos**, publicado em 18 de abril de 1857, como resposta à pergunta formulada por Allan Kardec aos Benfeitores Espirituais sobre esse assunto. Esses benfeitores afirmaram, também, que essa união só se completa por ocasião do nascimento. Na continuação da resposta ao Codificador do Espiritismo, disseram também que desde o instante da concepção, o espírito designado para habitar certo corpo a este se liga por um laço fluídico, que cada vez mais se vai apertando até o instante em que a criança vê a luz. Essa é a razão pela qual os espíritas rejeitam a prática do aborto em qualquer período da gestação.

E para provar que o feto, também, tem vida espiritual, eis um fato obtido por um psicólogo, numa sessão de regressão de memória, que foi feita em um jovem que se tornava agressivo com os pais, considerando-se enjeitado por eles. No transe, o rapaz revelou que estava sendo gerado na barriga da mãe, e que ouvia os pais decidirem por matá-lo. Mas, justamente quando se dirigia a uma clínica para abortá-lo, sua mãe sofreu um acidente de carro e quebrou o fêmur, ficando assim impedida de realizar o ato infeliz.

Ao serem indagados sobre a descrição dos fatos pelo filho no transe, os pais confirmaram a sua veracidade. Esse caso está relatado detalhadamente no livro **Gestação sublime intercâmbio**, de autoria do Dr. Ricardo Di Bernardi, o qual apresentaremos de uma forma resumida como se deu.

Cecília era uma eficiente enfermeira de um Hospital em Belo Horizonte, e fizera pós-graduação na área de obstetrícia. Pessoa de muitos predicados profissionais aliava seus conhecimentos a uma dedicação pessoal exemplar ao seu trabalho.

Naquele ano, chegara a Belo Horizonte um novo reforço ao corpo clínico do Hospital, Dr. Rogério Albatroz, que passara três anos no Canadá em especialização, e voltava à boa terra mineira cheio de planos, objetivando desenvolver uma melhor assistência médica, na área que se especializara, a neurologia.

Rogério, ao ver Cecília pela primeira vez, experimentou um impacto emocional considerável. Cecília, não pode também deixar de notar o jovem médico. Solteiro, com seu ar entre compenetrado e sorridente ao lidar com os doentes, irradiava simpatia. Após algum tempo foi se tornando claro para ambos, que se procuravam, e nasceu o afeto entre eles. Os dois com aproximadamente 30 anos, não admitiam o casamento como plano de vida e optaram por se relacionar de forma íntima sem compromissos legais. Quando menos esperavam, Cecília engravidou.

Neste momento, vamos estabelecer um corte temporário na história, e visualizar 14 anos mais tarde, ambos preocupados com Gustavo, filho do casal. Apesar de ter tido uma infância aparentemente tranquila, com uma educação esmerada, subitamente como por encanto, o menino torna-se agressivo com os pais. Considerava-se enjeitado. Conflitos de adolescência diziam ambos. Na realidade aquela faixa etária era desencadeadora de problemas que jaziam subjacentes e aguardaram a época propícia para eclodir.

Os pais, após alguns meses de cansativos diálogos com o menino que resultaram infrutíferos, resolveram procurar auxílio profissional, e como Cecília vinha lendo diversas obras sobre T.V.P. (Terapia de Vidas Passadas) decidiram procurar ajuda com, um conhecido pesquisador dessa área, que convencionaremos chamar de Professor Fernandes.

Gustavo começava suas regressões de memória relatando períodos da pré-adolescência que eram minuciosamente anotados após a gravação de sua fala. Pouco, ou quase nada de expressivo se obteve nas primeiras sessões. À medida que se aprofundavam as investigações dos arquivos do inconsciente se buscavam as idades menores do rapaz.

O Professor Fernandes, reencarnacionista convicto, esperava que as regressões mais profundas no tempo colhendo dados de encarnações passadas viessem a fornecer valiosos subsídios à questão. Muitas vezes, o chamado inconsciente pretérito, faixa do nosso espírito que registra as impressões de vidas anteriores traz luzes definitivas à solução do problema. Dessa vez, no entanto, o problema não se situava a nível tão antigo.

Ao chegar à fase intrauterina, no segundo mês de gestação, induzido magneticamente pelo Professor, o jovem punha-se em agitação e choro constante.

– Minha mãe e meu pai não gostam de mim! Dizia assumindo um facies misto de sofrimento e indignação.

– Por que você diz isso Gustavo? Perguntava o Prof. Fernandes, com voz calma e suave, embora com certa energia.

– Eles estão tristes porque eu estou aqui (intraútero). Não me querem.

– Gustavo fique tranquilo que nós vamos lhe ajudar. Seu pai e sua mãe gostam de você.

– Não! Eles não gostam, eles não gostam! Chorava copiosamente.

"Estamos próximos da raiz do problema", pensava Fernandes, e com razão, pois na sessão seguinte peças importantes foram se adicionando e o quebra-cabeças tomando forma mais compreensível. Induzido ao relaxamento físico e psíquico, sob orientação, mentalizando paisagens da natureza, Gustavo se colocava receptivo à magnetização que o Professor lhe administrava, visando o afrouxar dos liames que retinham as informações do inconsciente, que ele buscava. As malhas da rede energética se alargavam e deixavam escapar os núcleos de memória para a superfície...

– Meu pai e minha mãe me odeiam! Suas mãos crispavam-se, seu rosto retorcia numa mescla de diversos sentimentos que se exteriorizavam na sua fisionomia.

– Por que Gustavo?

– Eles querem me matar! Dizia soluçando e repetia incontáveis vezes.

– Eles quem, Gustavo?

– Meu pai e minha mãe dizem que vão me matar!

No dia seguinte os pais foram chamados para uma longa conversa. Rogério e Cecília, após escutarem atentamente as gravações se entreolharam por uns momentos. Cecília tomou a iniciativa e começou a narrativa, falando de como a notícia da gravidez os havia tomado de surpresa. Rogério também participava complementando sua exposição. Narraram que, durante horas seguidas, ambos permutavam ideias e propostas no sentido de se livrarem do embrião. Embora certo sentimento de vaidade os acometesse pelo fato de constatarem a possibilidade de serem pais, os inconvenientes pareciam ser maiores.

Durante algumas semanas, o feto foi magnetizado com as energias provindas daquele diálogo ameaçador. Em função de serem muito conhecidos do meio médico, apesar da união de ambos já ser considerada aceita pela comunidade hospitalar, não desejavam transparecer a questão da gravidez que ocultavam. Se não pretendiam fosse divulgada a gestação, muito menos, o aborto provocado que arquitetavam.

Após estudarem inúmeras possibilidades e alternativas, optaram por viajar a uma cidade próxima. Lá um colega de Rogério os atenderia e faria a curetagem. Partiram sexta-feira tarde da noite, em virtude dos compromissos que tinham no hospital. A esta altura da narrativa, o professor os interrompe e pede para continuarem após dois dias.

Amanhã voltarei a retroagir Gustavo. Não quero me sugestionar com os novos fatos que os impediram de concretizar o aborto. Despedem-se falando de outros assuntos.

Fernandes voltara ao trabalho com Gustavo, que permanecia muito colaborador. Sob sugestão magnética, colocado aos três meses de gestação surpreendeu ao professor.

– Ah!Ah!Ah!... Gargalhava ruidosamente.

– De que ri, Gustavo?

– Eles não podem mais!

– Eles quem?

– Meu pai e minha mãe. Ah!Ah!Ah!...

– Não podem o quê?

– Não podem mais me matar!

Ria-se histericamente, um riso não de alegria, mas um riso sádico e irônico. Apesar de tentar o diálogo, o garoto permanecia repetitivamente rindo de forma agressiva e o pesquisador houve por bem trazê-lo à consciência. Acalmou-o da forma como habitualmente procedia. Após, travou longa conversa com o adolescente tendo inclusive convidado-o para o aniversário de sua filha.

Os pais, de volta ao reduto de Fernandes, retornam a história, dizendo que na noite da viagem já ia adiantada a jornada quando surgiu o acidente. Rogério freara bruscamente ao ver um animal na pista, logo após uma curva à esquerda. O carro deslizou no asfalto molhado e esbarrou em um barranco próximo. Socorridos rapidamente foram transportados por um solícito caminhoneiro que transportava verduras em direção à capital. No hospital, Rogério como permanecia inconsciente e obnubilado mentalmente ficou na U.T.I., em observação por 48 horas, sendo depois transferido para um apartamento.

– Onde está a minha... Esposa?

– Não se preocupe, Dr. Rogério, vi nos documentos que o Senhor é médico. Ela está bem, embora com gesso.

– Fratura?

– Fêmur, mas não se preocupe. A ortopedia já atendeu e está tudo sob controle.

– Algo mais?

– Há suspeitas de edema cerebral em função dos vômitos que ela está tendo. Creio que deverá fazer alguns exames.

– Descreva-me melhor estes vômitos.

– Vou me informar e volto logo.

Rogério olhava atentamente ao seu redor com expressão crítica e preocupada. Apesar do aspecto limpo e ordeiro, o minúsculo hospital pouco poderia oferecer em termos de alguma investigação mais detalhada de diagnóstico. Já imaginava Cecília grávida sendo tratada com o diagnóstico de edema cerebral, devido aos episódios de vômitos que apresentava.

Enquanto pensava, a técnica de enfermagem chegara trazendo o médico de plantão.

– Como está o Dr. Atropelado?

– Bem. Preciso lhe falar sobre Cecília.

– Sua... Assistente?

Rogério sentiu uma onda de rubor facial tomá-lo de súbito, e colocou-se na ofensiva.

– Não! Minha esposa e está grávida.

Rogério percebeu que o jovem médico não pretendia ser descortês, e logo tudo se encaminhava a contento. Não havia mais como retroceder. A gravidez se tornara pública e até no prontuário hospitalar havia uma recomendação: "não radiografar: gestação".

A viagem aconteceu no sentido contrário. Voltaram a Belo Horizonte e no mês seguinte se uniram oficialmente.

Gustavo foi tratado segundo as técnicas que eliminavam a ressonância com o passado. Naquela data cursava a última fase de Psicologia e pretendia fazer especialização em Psicologia Transpessoal, passando a ser o relacionamento, com os pais, harmonioso e construtivo.

20

A PROMESSA A DIMAS E SUA VOLTA PARA PROGREDIR

Jesus, aparecendo para Maria Madalena, três dias após a Sua morte, provou que a alma continua vivendo após o fim do corpo físico. A aparição do Mestre à ex-pecadora se deu como espírito materializado diante do seu túmulo vazio, pois o corpo já tinha sido por Ele desmaterializado. Na ocasião, pediu que ela não O tocasse, pois ainda não havia subido às regiões celestiais. Segundo a **Bíblia**, o Cristo em espírito permaneceu entre nós durante 40 dias, período no qual, além de aparecer a Madalena, apareceu também a Maria, mãe de Thiago, e Maria Salomé, quando elas se dirigiam ao local onde fora colocado o Seu corpo.

Nesses quarenta dias depois de morto, o Cristo foi reconhecido por dois de

Seus discípulos, na Estrada de Emaús. Isso ocorreu também, por duas vezes, no local onde os 11 apóstolos se reuniam, oportunidade em que Tomé tocou Seu espírito materializado; e ainda foi visto pelos mesmos apóstolos, perto do Lago de Tiberíades, e por último, por cerca de 500 dos Seus seguidores na Montanha da Galileia, ao fazer-lhes Suas últimas recomendações.

Depois disso, Jesus, na condição de espírito materializado, seguiu com Seus apóstolos para o Monte das Oliveiras. Lá, ao término de Suas últimas instruções, fez a sua ascensão para a vida espiritual. Agora, se Jesus não ascendeu às regiões celestiais no mesmo dia da sua morte, e sim quarenta dias depois, como podemos conciliar a Sua promessa no alto da cruz a Dimas, o "Bom Ladrão", de que "hoje mesmo estarás comigo no paraíso"?[25]

É claro que Jesus não mentiria jamais. Mas como podemos então interpretar o verdadeiro significado da Sua afirmação? Simplesmente porque Dimas, ao arrepender-se de todo o mal que havia feito, rendeu-se inteiramente ao Cristo naquele

---

[25] Disponível em: http://www.estudosdabiblia.net/2001321.htm

instante, naquele dia, significando exatamente a expressão “hoje mesmo”. Ou seja, naquele mesmo dia o “Bom Ladrão” encontrou a paz de espírito, a paz interior – o verdadeiro paraíso. Por essa razão, concluímos que Paraíso é um estado de consciência e não um local determinado no espaço.

Ao garantir a Dimas a entrada no Paraíso, Jesus estava dizendo que ele iria para lá a fim de ser reeducado, para depois reencarnar muitas vezes até atingir a perfeição espiritual. Isto é, a mesma perfeição alcançada por Jesus, e que nós, um dia, também alcançaremos.

Crucificação – Andrea Mantegna (1431-1506)

A Lei de Causa e Efeito – Ilustração

21

VOLTOU 200 ANOS DEPOIS PARA REPARAR A FALTA

O leitor Paulo Brito me perguntou se as criaturas humanas pagam em outras encarnações pelo mal que praticaram, quando não são punidas pela justiça dos homens. Respondi-lhe que a morte não apaga as culpas dos criminosos, e também, como o inferno não existe, os espíritos culpados reencarnam para repararem suas faltas e se redimirem diante de suas consciências. Assim, para demonstrar que ninguém escapa da Justiça Divina, apresento a seguir um fato extraído do livro **Histórias da vida**, pelo Espírito Hilário Silva:

> "Maria Amélia, no ano de 1769, planejando eliminar sua prima Tereza Cristina, para que ela não roubasse o seu noivo, levou-a para um passeio a cavalo às margens do rio, onde se encontravam abelhas mortíferas. Ao

chegar ao local, disparou a arma em direção às patas do cavalo da prima e, em razão disso, o animal empinou, fazendo Tereza cair no chão com um grito de dor. Ao ouvir o zumbido das abelhas, Maria Amélia afugentou o cavalo de Tereza Cristina, afastando-se rapidamente, pois sua intenção era que as abelhas atacassem a prima.

Quando o cadáver de Tereza Cristina foi encontrado quase disforme, pareceu um acidente, pois o tiro não fora ouvido e todos acreditavam que Maria Amélia havia escapado "por milagre". Porém, 200 anos depois, o espírito de Maria Amélia, em uma nova reencarnação, teve morte idêntica à de sua prima Tereza Cristina. Isso você fica sabendo através das notícias dos jornais da cidade mineira de Uberlândia, em 1969. Com a manchete: "Abelhas voltam a atacar — moça morta em piquenique", eles informavam que abelhas atacaram um grupo de moças reunidas quando lanchavam às margens de um riacho, e que uma delas, a mais atingida pelas abelhas mortíferas, faleceu em um dos hospitais da cidade.

É claro que a jovem que morreu era a reencarnação do espírito de Maria Amélia, assassina da prima. Embora ela não tivesse acertado contas com a justiça humana naquela encarnação de 1769, ela acertou as contas com a Justiça Divina em 1969, sem que fosse preciso outra pessoa matá-la. Segundo Jesus, “A cada um será dado segundo suas obras”.

Ethan Bortnick

22

EXÍMIO PIANISTA AOS OITO ANOS DE IDADE

Como podemos explicar as crianças superdotadas sem aceitarmos a reencarnação, ou seja, o fato do menino de oito anos, Ethan Bortnick, ser um exímio pianista sem nunca ter tido um professor para ensiná-lo? Esse caso que só a reencarnação explica foi apresentado no Programa "Fantástico" e reapresentado no programa "Mais Você", da Ana Maria Braga, do dia 18 de fevereiro. O orador Espírita Divaldo Franco, perguntado sobre o assunto esclareceu que o espírito que fez progresso na música numa existência, por exemplo, volta em outro corpo, e é natural que desde criança revele esse conhecimento anteriormente conquistado.

O menino Ethan Bortnick, pianista e compositor virtuoso, começou a tocar aos três anos, no tecladinho de plástico que ganhou de uma vizinha no aniversário. Quando ele tocou uma peça de Mozart pela primeira vez, parecia mentira. Os pais acharam que o teclado eletrônico tocava sozinho e que Ethan tivesse imitando os movimentos de um pianista.

Ethan aprendeu a tocar de ouvido, repetindo os sons que escutava num disco de música clássica para crianças. Ele interpreta mais de 200 músicas, toca de olhos fechados e pode até conversar que não erra a melodia, porém ele não é somente um bom pianista é também compositor. É bom esclarecer que na história da música vamos encontrar uma série de crianças-prodígio denominadas de superdotadas.

A origem das faculdades extraordinárias do indivíduo, sem estudo prévio, como é o caso de Ethan Brotnick é atributo do espírito, que guarda lembranças de vidas passadas. E aqui fica a nossa pergunta: de onde mais viriam os conhecimentos para a aptidão e a sensibilidade de tantos gênios da música, inclusive desse menino?

Ethan já tocou com grandes artistas conhecidos e tem se destacado nos Estados Unidos em programas de televisão, e por arrecadar dinheiro para instituições de caridade ao redor do mundo.

23

EX-NAZISTAS REPARAM SEUS CRIMES

Há muita lógica quando se diz que, se o inferno existisse, jamais teria sido criado por Deus. Isso porque, se Jesus, Seu representante na Terra, recomenda-nos em seu Evangelho amar os nossos inimigos, convenhamos que é incoerente admitir-se que o próprio Pai Celestial pudesse colocar Seus filhos nas chamas do inferno. Ora, se eu, que sou um espírito muito atrasado, não teria coragem de fazer isso com um filho, por mais errado que ele fosse, como Deus cometeria tal monstruosidade, sem dar-lhe chances para se reabilitar?

Da mesma forma que nós, pais humanos, damos novas chances aos filhos que erram para se corrigirem, Deus também sempre nos concede novas oportunidades através das reencarnações sucessivas, para alcançarmos a perfeição espiritual. Uma nova chance, por exemplo, foi concedida aos nazistas que, entre 1939 e 1943, durante a 2ª Guerra Mundial, invadiram moradias de judeus residentes na Alemanha, matando impiedosamente centenas deles e, ainda, saqueando seus bens para o financiamento da guerra.

Diante disso, os espíritos desses nazistas, ao reencarnarem na própria Alemanha, vítimas da Talidomida, plasmaram em seus corpos, em razão do remorso, as deformidades provocadas nos indefesos judeus, conforme revelação do Espírito Humberto de Campos, no livro **Contos desta e doutra vida**, psicografado por Chico Xavier. É claro que eles, livres da consciência culpada pelo sofrimento, continuarão reencarnando para evoluírem, até um dia se tornarem espíritos puros e perfeitos.

Em verdade, tanto o chamado "céu" quanto o denominado "inferno" são estados de alma, e não regiões localizadas no espaço. Madre Tereza de Calcutá, por exemplo, construiu o céu dentro de sua consciência pela caridade que praticava, e o levou daqui para a vida espiritual, ao contrário daqueles nazistas que, pelo remorso dos crimes praticados, criaram e levaram o “inferno” em seus espíritos culpados para o mundo espiritual.

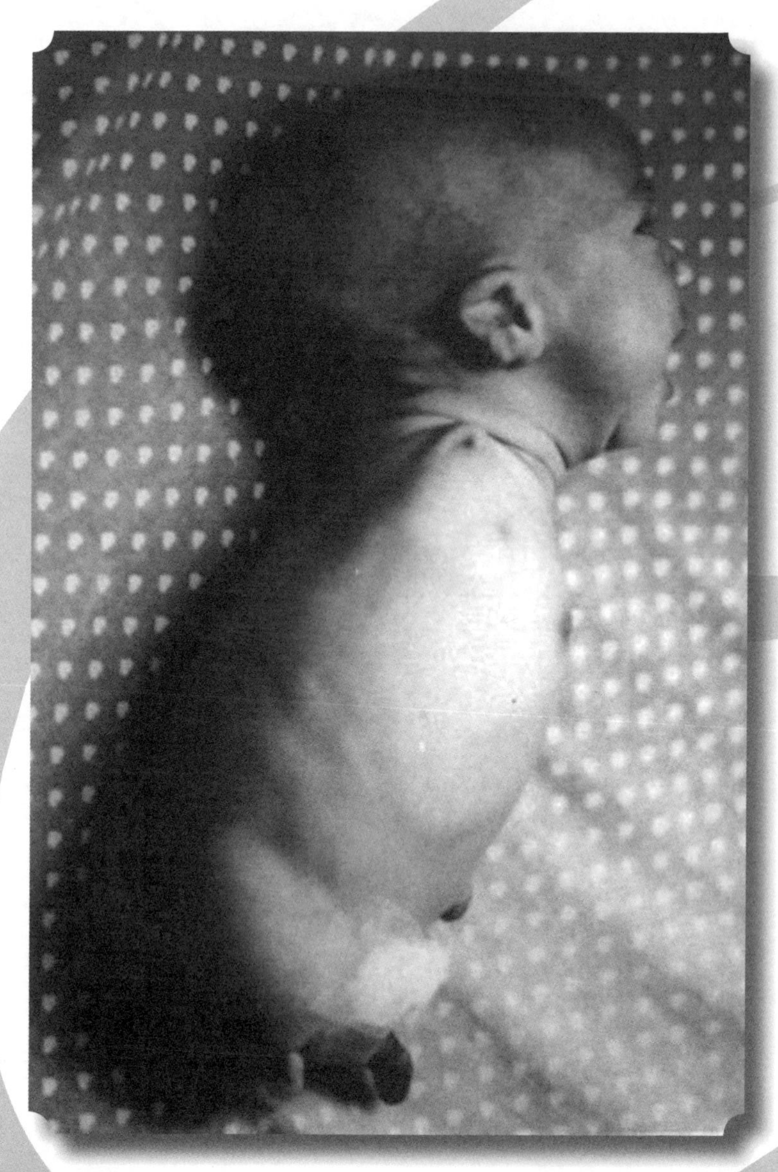

Criança vítima da talidomida

24

MORREU AFOGADA RESGATANDO O PASSADO

Como se sabe, aqui se faz aqui se repara, de acordo com a lei de ação e reação, ou segundo Jesus: "A cada um será dado segundo suas obras". A respeito disso, o espírito Humberto de Campos narra um fato ocorrido com dona Maria Augusta da Silva. Ela ao retornar à sua fazenda, às margens do Rio Paraíba, na antevéspera do Natal de 1856, depois de um ano de passeio, na cidade do Rio de Janeiro, tomou conhecimento de que, durante o período em que esteve fora, seu filho engravidou sua escrava Matilde.

Diante disso, levou a escrava à noite até às margens do Rio Paraíba e sentenciou para ela: — Você está livre, mas fuja de minha presença. Atravesse o rio e desapareça. E a um sinal da perversa fazendeira, o capataz desalmado chicoteou a pobre escrava, fazendo-a cair na corrente profunda do rio. — Socorro! Socorro, Meu Deus! Valei-me, Nosso Senhor! — gritou Matilde, debatendo-se nas águas. Todavia, daí a instantes, apenas um cadáver de mulher descia o rio abaixo, cercado pelo silêncio da noite...

Passados 100 anos, a ex-fazendeira Maria Augusta, reencarnada na cidade de Passa Quatro, Minas Gerais, sofria no lar as mesmas dificuldades dos escravos de outros tempos nas senzalas. Na antevéspera do Natal de 1956, um horrível temporal desabou sobre a região, alagando tudo em derredor da sua casa. A pobre senhora (a ex-fazendeira), vendo a água invadir a sua residência, saiu da casa com o marido e as crianças. Dada a quantidade de água, acabou por separar-se de todos, e ao tombar no rio gritou as mesmas palavras da escrava Matilde ao se afogar: — Socorro! Socorro, Meu Deus! Valei-me Nosso Senhor!

Todavia, decorridos alguns momentos apenas, um cadáver de mulher descia a correnteza, cercado pelo silêncio da noite... Assim a ex-fazendeira do Vale do Paraíba, reencarnada 100 anos depois, reparava o débito que contraíra perante as Leis de Deus. Esse fato está no capítulo 23 do livro **Contos e apólogos,** psicografado pelo médium Chico Xavier.

Brian L. Weiss, M.D. (Escritor, estudioso da Terapia de Vidas Passadas)

25 TERAPIA DE VIDA PASSADA

A respeito desse assunto, gostaríamos de destacar, inicialmente, o pensamento de Allan Kardec sobre a revelação de nossas existências passadas, no seguinte comentário da questão 399 de **O livro dos Espíritos**:

> ... Mergulhado o espírito na vida corpórea perde momentaneamente a lembrança de suas existências anteriores, como se um véu as cobrisse. Todavia, conserva algumas vezes vaga consciência dessas vidas que, mesmo em certas circunstâncias, lhe podem ser reveladas. Esta revelação, porém, só os Espíritos Superiores espontaneamente lhe fazem, com um fim útil, nunca para satisfazer a vã curiosidade.[26]

---

[26] Disponível em: http://www.espiritismoegenetica.espiridigi.net/2-3-esquecimento-do-passado.html

Os profissionais que atuam no campo da Terapia de Vida Passada conceituam a TVP como uma abordagem psicoterápica que tem como fundamentação a hipótese da reencarnação, utilizando como metodologia de trabalho a regressão de memória. Nesse processo a regressão é consciente e só se trabalha com a pessoa que efetivamente quer se libertar de seus conflitos, considerando que nesta técnica é o paciente quem vai trabalhar consigo mesmo no processo de transformação e reformulação de sua vida.

Dada a delicadeza do assunto, trazemos para análise a resposta do Benfeitor Espiritual Emmanuel, na questão 44 da obra **O consolador**, psicografado pelo médium Chico Xavier, ao ser questionado se a psicologia pode chegar a uma solução cabal das desordens mentais, chamadas psicológicas:

> Movimentando tão-somente os materiais da ciência humana, a psicologia não atingirá esse desiderato, conservando-se no terreno das definições e dos estudos, distantes da causa. Os conhecimentos do mundo, porém, caminham para a evolução dessa ciência, à luz do Espiritismo, quando, então, seus investigadores poderão alcançar as soluções precisas.

O americano Brian Weiss, professor de psiquiatria e chefe do setor psiquiátrico do Hospital-Escola Mount Sinai, da Universidade de Miami, em entrevista concedida ao JB, deu a seguinte resposta ao ser-lhe perguntado como a TVP pode ajudar as pessoas:

> "Além de resolver problemas, sobretudo asmas, fobias e dificuldades de relacionamento, os pacientes adquirem uma nova visão da morte e passam a encará-la de forma diferente.

Para explicar, vou citar o caso de uma mulher que tinha claustrofobia. Na sessão, ela lembrou que havia sido, possivelmente no Egito antigo, escrava de alguém da nobreza. E quando essa pessoa morreu, ela foi sepultada junto com ela viva. Naquela época, era uma tradição que os nobres fossem enterrados com seus servos, pois acreditavam que poderiam levá-los com eles. A partir daquela visão, ela percebeu que seus medos tinham origem no passado e que não faziam parte do presente. Também se deu conta de que ela nunca morreu realmente.

A terapia não só cura, como muda valores, a forma com que as pessoas lidam com a vida e com a morte. Todos sabem que, pela ótica freudiana, quando a pessoa volta à infância e relembra seus traumas, melhora muito. A terapia funciona exatamente assim, só que a "arena terapêutica" é maior, vai além.

26 PAULO DE TARSO NÃO NEGOU A REENCARNAÇÃO

Quanto ao fato de o apóstolo Paulo ter dito que "os homens devem morrer uma só vez, depois do que vem o julgamento"[27], entendemos que ele, ao expressar-se dessa forma, não pretendeu de maneira alguma negar a reencarnação, pois é evidente que estava se referindo *à morte do corpo físico e não à da alma, pois ela, de fato, não morre nem uma vez;* é claro que ele não poderia ter dito tal absurdo, levando-se em consideração que o Apóstolo dos Gentios tinha plena convicção da imortalidade, a partir da prova dada pelo Mestre a Maria Madalena e aos Seus discípulos, após a Sua morte na cruz.

---

[27] Disponível em: http://www.panoramaespirita.com.br/modules/smartsection/item.php?itemid=4091

Para esclarecer ainda mais esse assunto, vamos trazer a resposta do Benfeitor Espiritual Emmanuel, através do médium Chico Xavier, quando na entrevista concedida ao jornalista Zair Cansado, em Uberaba, MG, publicada no livro **A terra e o semeador**, fez a seguinte pergunta:

> São Paulo, não a cidade, mas o Santo, disse que só se morre uma vez. Como é possível aceitar, como válida, essa afirmativa, e, ao mesmo tempo, a tese da Reencarnação?
>
> Resposta — Os Amigos Espirituais nos recomendam confrontar os textos evangélicos, referentes ao estudo.
>
> Diz o Apóstolo Paulo, no versículo 27 do Capítulo IX da Epístola aos Hebreus: "E assim como aos homens ordenado morrerem uma só vez e, depois disso, o juízo...."[28], mas no versículo 54, do Cap. XV, da Epístola aos Coríntios ele mesmo exclama: "E quando este corpo corruptível se revestir de incorruptibilidade e o que é mortal se revestir de imortalidade, então se cumprirá a palavra que está escrita: 'tragada foi a morte pela vitória'".[29] Nossos benfeitores da Vida Maior nos asseguram que o Apóstolo Paulo declarando que

---

[28] Disponível em: http://www.estudosdabiblia.net/d12.htm

[29] Disponível em: http: //www.portaldabiblia.com/?do=p&p=1cor %2015&v=aa

o homem morre somente uma vez, se reportava ao homem ainda impregnado de animalidade, que as reencarnações aperfeiçoam e que um dia, despido de toda imperfeição terrestre, se habilitará, em definitivo, para a imortalidade em plena luz.

Apóstolo Paulo escrevendo aos gálatas – Ilustração

Jesus e o cego de nascença – Ilustração

QUE PECADO COMETEU O CEGO DE NASCENÇA?

Allan Kardec, no capítulo XV, do livro **A Gênese**, no item 24 aborda a passagem do cego de nascença, anotado por João (9: 1 a 34), cujo texto é o seguinte:

> Ao passar, Jesus viu um homem que era cego desde que nascera; — e seus discípulos lhe fizeram esta pergunta: Mestre, quem pecou, esse homem ou seus pais, para que ele nascesse cego? — Jesus lhes respondeu: Nem ele, nem os que o puseram no mundo; mas para que nele se manifestem as obras do poder de Deus. É preciso que eu faça as obras daquele que me enviou, enquanto é dia; vem depois à noite, na qual ninguém pode fazer obras. — Enquanto estou no mundo, sou a luz do mundo.

Tendo dito isso, cuspiu no chão e, havendo feito lama com a sua saliva, ungiu com essa lama os olhos do cego — e lhe disse: Vai lavar-te no tanque de Siloé, que significa Enviado. Ele foi, lavou-se e voltou vendo claro.

Seus vizinhos, e os que o viam antes a pedir esmolas diziam: Não é este o que estava assentado e pedia esmola? Uns respondiam: É ele; outros diziam: Não, é um que se parece com ele. O homem, porém, lhes dizia: Sou eu mesmo. — Perguntaram-lhe então: Como se abriram os teus olhos? — Ele respondeu: Aquele homem que se chama Jesus fez um pouco de lama e passou nos meus olhos, dizendo: Vai ao tanque de Siloé e lava-te. Fui, lavei-me e vejo. — Disseram-lhe: Onde está Ele? Respondeu o homem: Não sei. Levaram então aos fariseus o homem que estivera cego. — Ora, fora num dia de sábado que Jesus fizera aquela lama e lhe abrira os olhos". [30]

É evidente, que se Jesus considerasse falsa semelhante ideia, ter-lhes-ia dito: "Como este homem poderia ter pecado antes de haver nascido?".[31] Em vez disso, porém, diz que aquele homem estava

---

[30] Disponível em: http://www.comunidadeespirita.com.br/JESUS/ensinosdejesus/o%20cego%20de%20siloe.htm

[31] Disponível em: http://www.comunidadeespirita.com.br/Reencarnacao/reencarnacaog/revista%20historica%20sobre%20a%20teoria%20das%20v%20s.htm

cego, não por ter pecado, mas para que nele se manifestasse o poder de Deus, isto é, para que servisse de instrumento a uma demonstração do poder de Deus. Se não era uma expiação do passado, era uma provação que devia servir ao progresso daquele Espírito, porque Deus, que é justo, não lhe imporia um sofrimento sem compensação.

Para melhor entendermos esse assunto, precisamos nos remeter a resposta dos Benfeitores Espirituais, à questão 258, formulada por Allan Kardec, em **O livro dos Espíritos**, ao perguntar: Qu*ando na erraticidade, antes de começar nova existência corporal, tem o Espírito consciência e previsão do que sucederá no curso da vida terrena?"*[32]. Segue a resposta: "Ele próprio escolhe o gênero de provas por que há de passar e nisso consiste o seu livre-arbítrio".[33]

É bom frisar que a reencarnação também foi revelada no 1º Mandamento do Decálogo, recebido mediunicamente por Moisés, no Monte Sinai, como se depreende do seu texto final:

---

[32] Disponível em: http://www.espirito.org.br/portal/palestras/irc-espiritismo/estudos-espiritas/le200202.html

[33] Idem.

> Eu sou o Senhor, vosso Deus, que vos tirei do Egito, da casa da servidão. Não tereis, diante de mim, outros deuses estrangeiros. — Não fareis imagem esculpida, nem figura alguma do que está em cima do céu, nem embaixo na Terra, nem do que quer que esteja nas águas sob a terra. Não os adorareis e não lhes prestareis culto soberano, porque eu, o Senhor vosso Deus, sou Deus zeloso, que *puno a iniquidade dos pais nos filhos, na terceira e na quarta gerações daqueles que me aborrecem, e uso de misericórdia até mil gerações daqueles que me amam e guardam os meus mandamentos.*"[34] — (Êxodo, 20:5-6.)

É bom esclarecer que algumas traduções da **Bíblia** traduziram ao invés de **na terceira e quarta gerações,** por **até a terceira e quarta gerações,** que então significaria que os filhos pagariam pelos pecados dos pais.

Por isso mesmo que a Editora da Federação Espírita Brasileira em nota de esclarecimento aposta no final do item 2, do Capítulo I, de **O evangelho segundo o Espiritismo**, esclarece que algumas traduções da Bíblia truncaram essa parte final do 1º Mandamento para harmonizá-la com a doutrina

---

[34] Disponível em: http://www.panoramaespirita.com.br/modules/smartsection/item.php?itemid=5956

da encarnação única da alma, isto é, onde está "na terceira e na quarta gerações", conforme a tradução Brasileira da **Bíblia**, a **Vulgata Latina** *(in tertiam et quartam generationem)*, a tradução de Zamenhof (en la *tria kqj kvara generacioj)*, mudaram o texto para **"até a terceira e quarta gerações"**.

Esses textos truncados que aparecem na tradução da Igreja Anglicana, na Católica de Figueiredo, na Protestante de Almeida e outras, tornam monstruosa a justiça divina, pois que filhos, netos, bisnetos, tetranetos inocentes teriam de ser castigados pelo pecado dos pais, avós, bisavós, tetravôs. Foi uma infeliz tentativa de acomodação da Lei à vida única.

O texto certo que, por mercê de Deus, já está reproduzido pelas edições recentíssimas a que nos referimos — traduções Brasileira e de Zamenhof —, que conferem com S. Jerônimo, mostra que a Lei ensina veladamente a reencarnação e as expiações e provas, isto é, na primeira e na segunda gerações, como contemporâneos de seus filhos e netos, o Espírito culpado ainda não reencarnou, mas, um pouco mais tarde — na terceira e quarta gerações

— já ele voltou e recebe as consequências de suas faltas. Assim, o culpado mesmo, e não outrem, paga sua dívida.

O PROCESSO DA EVOLUÇÃO DO ESPÍRITO

Este texto sobre a evolução do espírito, bem como o gráfico que o complementa no final deste capítulo, tem por objetivo demonstrar que todos os espíritos criados por Deus, um dia, chegarão à perfeição espiritual. Nesse sentido, importa dizer que Deus nos criou para a perfeição e para sermos felizes. A Doutrina Espírita dá ao homem essa grande esperança através da sua filosofia espiritualista e eminentemente evolucionista, descortinando-lhe a sua gloriosa destinação reservada pelo Criador. Ao entender essa meta a conquistar com o próprio esforço, o homem sente-se plenamente motivado a regenerar-se e a transformar-se em um homem de bem.

DETERMINISMO DIVINO

Para demonstrar todo esse processo evolutivo, passaremos aos fundamentos doutrinários fornecidos pela Doutrina Espírita, valendo-nos do esquema gráfico *Evolução do Espírito*, para melhor compreensão do assunto. Comecemos com a expressão Determinismo Divino, significando a vontade soberana do Pai Celestial que criou todos os espíritos simples e ignorantes, isto é, sem saber, segundo a questão 115 de **O livro dos Espíritos**. A seguir, a seta apontada para cima indica que a individualização do princípio inteligente deverá passar por uma série de existências e reencarnações, até chegar ao estágio da máxima perfeição espiritual.

PRINCÍPIO INTELIGENTE

Para entendermos a questão do Princípio Inteligente, apresentada no referido gráfico, vamos nos valer da pergunta 606 de **O livro dos Espíritos**, na qual Allan Kardec indaga de onde tiram os animais esse princípio que constitui a alma de natureza especial de que estão dotados. A resposta dos Espíritos Instrutores a essa pergunta foi a de que as almas dos animais tiram o princípio inteligente do elemento inteligente universal. Em seguida, o Codificador do Espiritismo volta a questionar, no sentido de confirmar o que de fato havia entendido: "Então, emanam de um único princípio a inteligência do homem e a dos animais?"[35]. A essa indagação responderam afirmativamente os Benfeitores Espirituais: "Sem dúvida alguma, porém, no homem, passou por uma elaboração que a coloca acima da que existe no animal".[36]

Diante desses esclarecimentos, Allan Kardec, na questão 607, voltou a perguntar por onde passa o Espírito, então, na primeira fase do seu desenvolvimento. A resposta foi a de que o Espírito, na sua fase inicial, passa por uma série de existências que precedem o período a que nós chamamos de humanidade. E, na resposta ao item "a", ainda da pergunta 607, os Instrutores Espirituais elucidam que "tudo em a natureza se encadeia e tende para a unidade. Nesses seres, cuja totalidade estamos longe de conhecer, é que o princípio inteligente se elabora, individualiza pouco a pouco, e se ensaia para a vida.

---

[35] Disponível em: http://www.espirito.org.br/portal/artigos/paulosns/a-alma-dos-animais.html

[36] Disponível em: http://www.espirito.org.br/portal/artigos/paulosns/a-alma-dos-animais.html

E é nesse trabalho preparatório que o princípio inteligente sofre uma transformação e se torna Espírito."

EXISTÊNCIAS PREPARATÓRIAS

Pelo que se depreende desses ensinos, o princípio inteligente, antes de passar à condição de Espírito, estagia nos reinos inferiores da natureza: Mineral, Vegetal e Animal, adquirindo, em cada um desses reinos, aprendizado longo e laborioso, constante e contínuo na esteira do tempo. No reino mineral, no qual predomina a rígida lei dos princípios químicos e físicos, o ser divino apenas obedece, pois é nessa fase que incorpora os segredos da Química e da Física. Após longo tempo, o reino vegetal surge como um novo campo de aprendizado, expressando, de um modo mais elaborado, os conhecimentos adquiridos pelo ser, num domínio dos princípios físico-químicos pela inteligência desenvolvida.

Há, portanto, a predominância da inteligência sobre os rígidos fenômenos da matéria, apresentando características supramateriais, tal como a capacidade de responder aos estímulos ambientais. No reino animal, há claramente o domínio da inteligência para dirigir os recursos do funcionamento orgânico, quer seja ao nível celular ou sistêmico; o ser dirige a matéria, explorando suas potencialidades e conduzindo suas reações para fins específicos, com objetivos bem elaborados, conduzindo o ser para a condição hominal, resultado do longo aprendizado de forma contínua e interligada, o que chamamos de raciocínio inteligente.

Em suma, podemos resumir tudo isso com a expressão do renomado filósofo espírita Léon Denis: "o Espírito dorme no mineral, sonha no vegetal, agita-se no animal e desperta no homem".

NÍVEL EVOLUTIVO: ESPÍRITO

Ao encarnar em corpos humanos (Reino Hominal), em diversos mundos habitados, o Espírito inicia o processo da conquista do seu progresso intelectual, que, segundo a questão 780 de **O livro dos Espíritos**, ocorre antes do progresso moral. Isso acontece porque a moral, sendo a regra do bem proceder, depende da capacidade do espírito de distinguir o que é o bem e o que é o mal. Essa capacidade lhe advém da inteligência, que lhe permite engendrar o seu progresso moral, ao passar pelas provas necessárias ao seu adiantamento, dentro da faixa do Livre-arbítrio que lhe é própria. A extensão dessa faixa em que o espírito transita, melhor dizendo, a liberdade de decidir com relação aos atos de sua existência, será sempre em função do progresso intelectual alcançado, e esse, quanto maior, mais aumenta a responsabilidade dos seus atos.

No esquema gráfico, delimitada entre as duas linhas verticais formando um ângulo em direção ao infinito, está compreendida, figuradamente, a área das provas em que o Espírito realiza a subida rumo à perfeição. Ela começa desde a sua condição de Espírito imperfeito até a de Espírito puro, na qual estão representados os degraus respectivos do progresso intelectual e moral, que deverá subir para chegar à condição de Puro Espírito. É claro que, quando ainda imperfeito, ele pode permanecer estacionário, ou seja, não fazer qualquer esforço para progredir. No entanto, ele não permanece indefinidamente nesse degrau evolutivo, porque o Determinismo Divino funciona qual mola propulsora, impulsionando-o em direção à perfeição.

É bom ressaltar também que o espírito não retrograda jamais. Isto é, não retroage do grau de evolução já alcançado, ao contrário do que alguns reencarnacionistas admitem ao esposarem o conceito da metempsicose, ou a hipótese da reencarnação de espíritos humanos em corpos de animais, como punição pelos erros cometidos em anterior existência. Isso negaria a evolução a que está sujeita toda a Criação, ou melhor, o progresso contínuo e ordenado dos seres e dos mundos em todo o Universo.

Por outro lado, pode o Espírito no uso do livre-arbítrio ultrapassar o limite estabelecido pelas Leis Divinas e enveredar-se pelo caminho do mal, mas apenas até certo ponto, pois a Lei do Progresso o faz retornar por esse mesmo caminho, a fim de entender as consequências do mal praticado e, com isso, levá-lo ao arrependimento e a respectiva reparação. Dessa maneira, o Espírito, então, retorna ao ponto de onde se afastou, reiniciando a sua marcha em direção à perfeição.

REENCARNAÇÃO E PROGRESSO

Na questão 127 de **O livro dos Espíritos**, Allan Kardec, indagando aos Instrutores Espirituais se os Espíritos são criados iguais quanto às faculdades intelectuais, obteve nesse sentido uma resposta afirmativa; porém, o complemento dos referidos Instrutores informa que cada um, utilizando o seu livre-arbítrio, progride mais ou menos rapidamente em inteligência ou moralidade. Sobre isso, o Codificador do Espiritismo comenta que os Espíritos que desde o princípio seguem o caminho do bem nem por isso são perfeitos. Não têm, é certo, os maus pendores, mas precisam adquirir a experiência e os conhecimentos indispensáveis para alcançarem a perfeição.

Pelo que está óbvio nesses esclarecimentos, o Espírito precisa passar pela trajetória das reencarnações sucessivas para progredir, tanto no aspecto intelectual como no moral, utilizando a liberdade de escolha outorgada a ele por Deus. Eis o motivo porque Emmanuel, através de Chico Xavier, no livro **O consolador**, fala das asas divinas do amor e da sabedoria, com que a alma humana penetrará, um dia, os pórticos sagrados da espiritualidade.

GRAUS DE EVOLUÇÃO

A partir do ponto em que o princípio inteligente se transforma em Espírito, apresentamos, resumidamente, os caracteres gerais das três ordens da escala espírita, conforme o grau de perfeição que ele tenha alcançado, segundo **O livro dos Espíritos**.

- **Espíritos Imperfeitos** – A questão 101 informa que eles se caracterizam pela predominância da matéria sobre o Espírito, e propensão para o mal. Além disso, são identificados pela ignorância, orgulho e egoísmo, bem como por todas as paixões que lhes são consequentes.

- **Bons Espíritos** – Suas características gerais são, segundo a questão 107, a predominância do Espírito sobre a matéria e o desejo do bem. Suas qualidades e poderes para o bem estão em relação com o grau de adiantamento que hajam alcançado; uns possuem a ciência, outros a sabedoria e a bondade. Os mais adiantados reúnem o saber às qualidades morais.

- **Espíritos Puros** – Allan Kardec esclarece que eles não têm nenhuma influência da matéria. São portadores de superioridade intelectual e moral absoluta, com relação aos

Espíritos das outras ordens. Os Espíritos que a compõem percorreram todos os graus da escala e se despojaram de todas as impurezas da matéria. Como eles alcançaram a soma da perfeição de que é suscetível a criatura, não têm mais que sofrer provas, nem expiações. Não estando mais sujeitos à reencarnação em corpos perecíveis, realizam a vida eterna no seio de Deus (questões 112 e 113).

EVOLUÇÃO DO ESPÍRITO

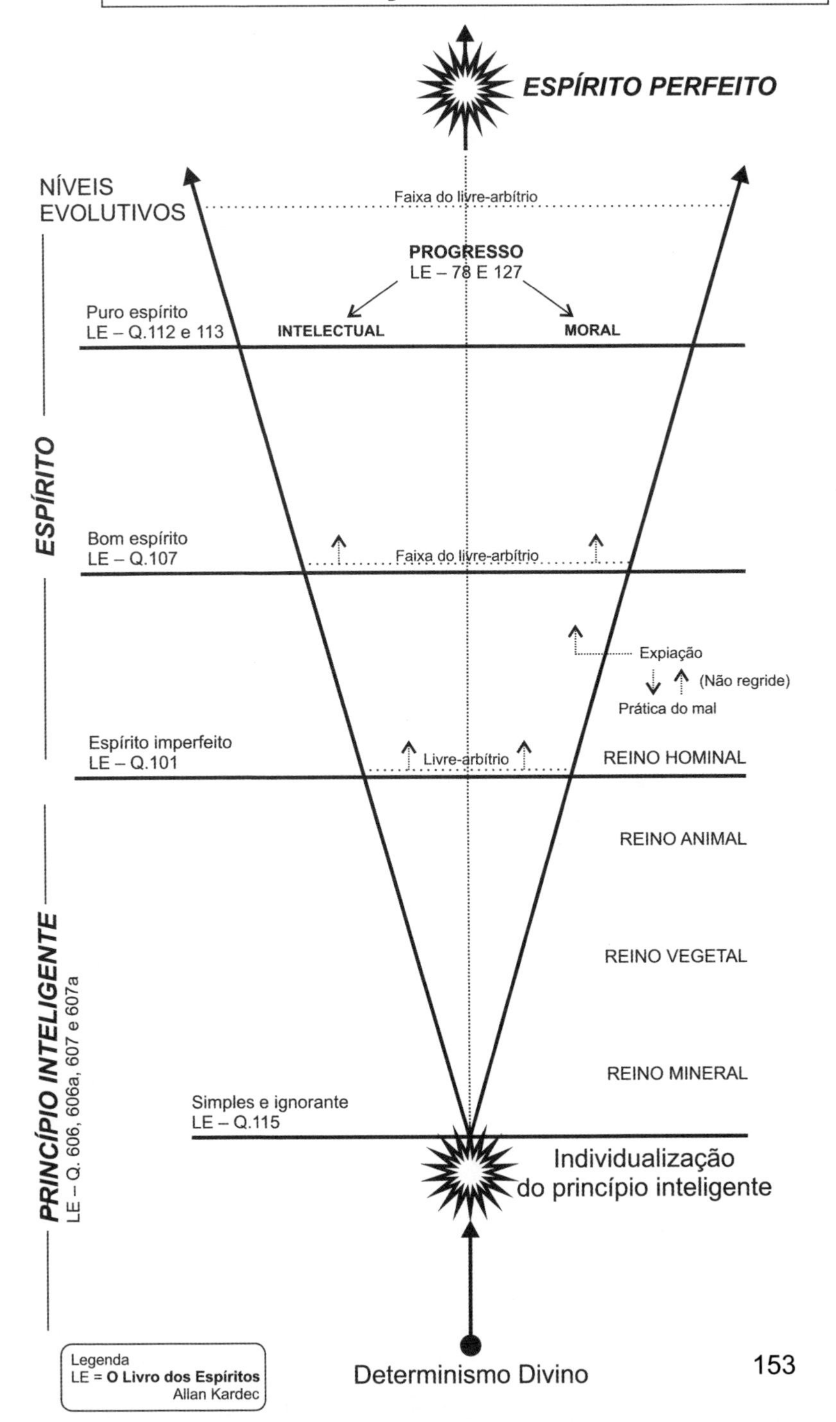

Outras obras do autor

4ª edição

NOVO SER
EDITORA

Gerson Simões Monteiro
AQUI
SE FAZ,
AQUI SE REPARA
3ª edição
NOVO SER
EDITORA
Gerson Simões Monteiro
Aqui se Faz, Aqui se Repara

3ª edição

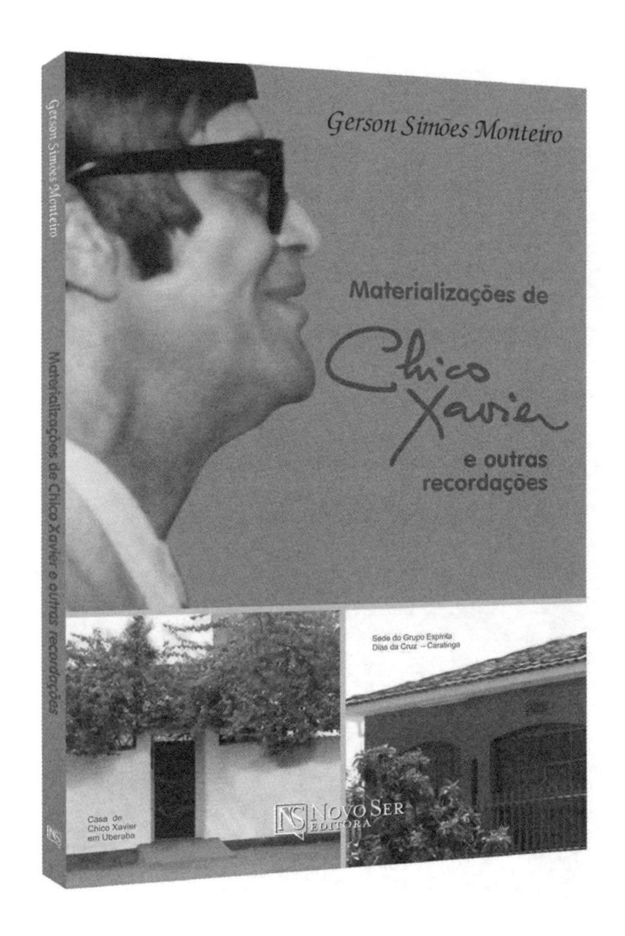
Gerson Simões Monteiro
Materializações de
Chico Xavier
e outras recordações
Casa de Chico Xavier em Uberaba
Sede do Grupo Espírita Dias da Cruz – Caratinga
Novo Ser Editora
Materializações de Chico Xavier e outras recordações

NOVO SER
EDITORA

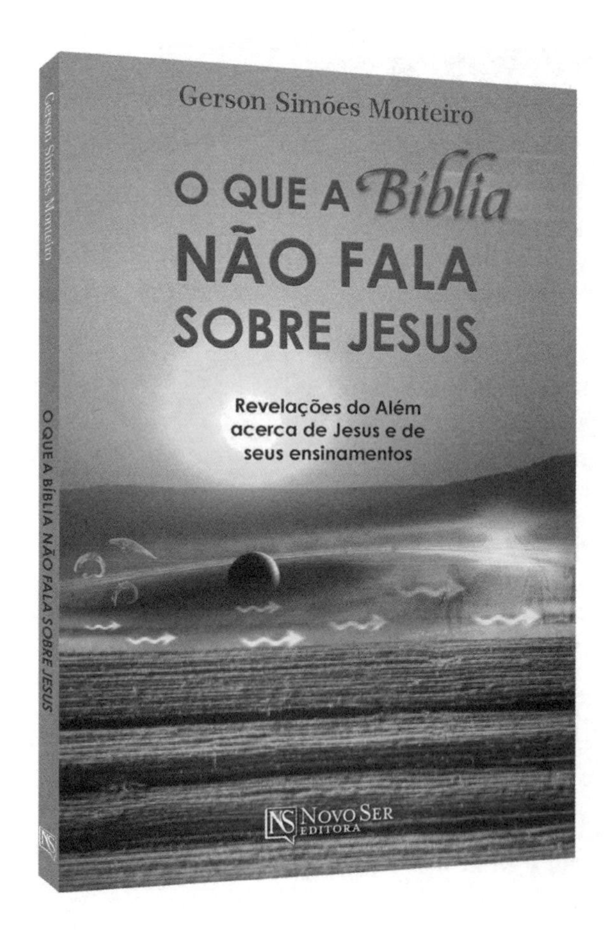
Gerson Simões Monteiro
O QUE A Bíblia
NÃO FALA
SOBRE JESUS
Revelações do Além
acerca de Jesus e de
seus ensinamentos
NOVO SER
EDITORA
Gerson Simões Monteiro
O QUE A BÍBLIA NÃO FALA SOBRE JESUS

Esta obra foi produzida nas
oficinas da Imos Gráfica e Editora na
cidade do Rio de Janeiro